DICTAAT

CYNTHIA OZICK

Dictaat

Een kwartet

vertaald uit het Engels door
Rob Kuitenbrouwer en Frank Lekens

Houtekiet/Atlas
Antwerpen/Amsterdam

© Cynthia Ozick/Houghton Mifflin Company,
New York, 2008
Oorspronkelijke titel Dictation. A Quartet
Oorspronkelijke uitgever Houghton Mifflin Company, New York
© *Nederlandse vertaling* Rob Kuitenbrouwer & Frank Lekens /
Houtekiet / Linkeroever Uitgevers nv 2009
Houtekiet, Katwilgweg 2 bus 3, B-2050 Antwerpen
info@houtekiet.com
www.houtekiet.com
Uitgeverij Atlas, Herengracht, 484, 1017 BT Amsterdam
atlas@uitgeverijatlas.nl
www.uitgeverijatlas.nl

Omslag en omslagfoto Jan Hendrickx
Zetwerk Intertext, Antwerpen

ISBN BELGIË 978 90 8924 051 4
ISBN NEDERLAND 978 90 450 1646 7
D 2009 4765 33
NUR 302

Voor D.M. en M. J.,
die levens hebben veranderd

Mijn grootste blijdschap geldt David Miller,
die de vos heeft gezien.

Inhoud

Dictaat

In de vroege zomer van 1901 stond Lamb House, het huis van Henry James in het landelijke Rye, vol bloemen. Toen hij die ochtend klaar was met dicteren had Mary Weld, zijn jonge amanuensis, zich met een schaar in de achtertuin begeven om de doornige klimmers te snoeien die zich vastklampten aan de warmte van de omringende muur. Op de tafel in de hal, de schoorsteenmantel in de salon en het dressoir in de eetkamer – iedere plek waarop de blik van het verwachte bezoek zou kunnen vallen – plaatste ze vazen vol rozen. Toen stapte ze op haar fiets en reed naar huis.

Het bezoek kwam pas tegen het eind van de middag. Het eten stond al klaar: de gebruikelijke brave toast met jam, maar ook de gevaarlijk zoete en vette taartjes waar James zo dol op was, al kreeg hij er vreselijk zere tanden van. Voordat de deurklopper werd vastgepakt, wist hij al dat ze er waren: door het geknars van de wielen op het grint, de kittige hoefstappen van de pony en het boze gebrul van een kind dat van de schoot van zijn moeder werd gehaald en bij een vreemde voordeur neergezet. James stond te wachten en strengelde zijn vingers nerveus in elkaar – op Lamb House was men niet gewend aan de aanwezigheid van een luidruchtig, onvoorspelbaar en beslist nukkig jongetje van drie, en dan nog wel één met zo'n on-Engelse naam.

Vier jaar daarvoor was Joseph Conrad door James uitgenodigd voor een middagmaal in zijn flat in Londen, DeVere Gardens 34. Daar hadden de twee in het wisselvallige gele licht van pas aangelegde elektrische lampen zitten praten over het wezen van fictie – al deden ze dat niet helemaal op voet van gelijkheid. Conrad was een gelooide, pezige, jeugdig uitziende man van tegen de veertig, een literaire dwerg die nog nauwelijks enige bekendheid genoot. Als eerbetoon aan de oude meester had hij James een exemplaar gestuurd van *Almayer's Folly*, zijn eerste en op dat moment enige roman. James had daarin iets bijzonders gezien, meer dan de loutere kracht van stijl en onderwerp: hij zag scherpte, gedrevenheid, inspiratie, gezag; hij zag de mens in barre leefomstandigheden. In zekere zin zag hij een psychologische afspiegeling van zichzelf – en dat bij een Poolse zeevaarder!

Conrad was zo vervuld van ontzag en bedeesde bewondering dat hij de cakekruimels nauwelijks van zijn onderlip durfde te likken. Hij wist dat hij maar een beginneling was en verkeerde continu in een staat van gespannen onzekerheid: stelde zijn werk wel iets voor? Bovendien vroeg hij zich af, onder het goddeloze geflikker van het gele kunstlicht in deze gewijde kamer, of zijn Engelse uitspraak wel door de beugel kon. Soms gebruikte hij bepaalde woorden, prachtige Engelse woorden die hij alleen kende uit boeken, en als hij die prachtige woorden dan in de mond nam bleken ze, hoe vertrouwd ze hem ook waren, bij zijn gehoor slechts op verbaasde blikken te stuiten omdat ze de verkeerde toon aansloegen: alleen op papier kon hij zich volledig uitdrukken in die subliem geordende Angelsaksische zinnen. Het Pools was anders opgebouwd. Af en toe leende hij de barokke melodieën van zijn moedertaal nog als contrapunt, maar hij zou er nooit meer in schrijven. Hij wilde, nee hij kón niet met zijn vrouw praten in een vreemde taal; ze kende alleen haar eigen taal. Ze beschikte over wat men een 'goed stel hersens' noemde maar had weinig onderwijs genoten. Ze was nuchter en goedmoedig en rechtdoorzee, iemand op wie hij kon bouwen. Hij schaamde zich een klein beetje voor haar, en schaamde zich voor die schaamte. Die verstopte hij zo goed mogelijk, ook voor zichzelf. Hij had al jong het verschil geleerd tussen verliefdheid en gezond verstand. Het huwelijk was een zaak van dat laatste. In dit eerste gesprek met de Meester (hij hoopte dat er meer zouden volgen) hield hij liever voor zich dat hij getrouwd was en dat hij zich pas onlangs, uit vrije wil, in de netten van het gezinsleven had laten vangen. De persoon van zijn vrouw zou het immer nieuwsgierige oor van James niet kunnen boeien – was dat de reden dat hij zijn Jessie uitvlakte? Of was het omdat James, met zijn volstrekte toewijding aan de edele kunst, een vrijgezellenleven zonder ballast leidde, volkomen vrijgemaakt voor zijn roeping? Terwijl een man met een vrouw, en binnenkort misschien een kind...

In DeVere Gardens was de toekomst, de naderende twintigste eeuw, reeds binnengehaald in de vorm van kunstlicht – en van een andere innovatie die steeds meer gemeengoed werd. Men zei dat de koningin zo'n nieuw ding had besteld voor haar secretaris, die het vol afgrijzen had geweigerd. In een hoek aan de overkant van de kamer waar de oude schrijver zat te oreren terwijl de kin van de jongere auteur met zijn puntige nieuwe sikje instemmend knikte, was een grote tafel vrijgemaakt waarop de Machine nu stond. Hij stond daar zonder hoofd, armen of benen – louter lompe schouders, als de romp van een gebroken god. Zelfs van een afstand vond Conrad hem er vreemd en afstotelijk uitzien, als de totem van een onbekende beschaving waarin James, zo leek het, griezelig was geassimileerd. Het was een groot zwart glanzend apparaat dat trapsgewijs opliep als de tribune in een stadion. De ronde toetsen waren afgedekt met glas en gevat in een metalen ring. James had zich gedwongen gezien de Machine bij zijn arbeid in te schakelen na jarenlang zijn hand over het papier te hebben getrokken. De pen hanteren deed nu te veel pijn. Om de terugkerende schrijfkramp te bestrijden had hij William MacAlpine aangenomen, een stenograaf die James' dictaat op papier noteerde en vervolgens uitwerkte op de Machine. Maar al snel bleek het efficiënter om het ding zelf direct toe te spreken, met MacAlpine achter de toetsen.

Die glanzende toetsen weerkaatsten het licht van de lamp aan het plafond. Als Conrad met zijn hoofd bewoog zag hij een flikkerende semafoor.

'Ik bespeur bij u,' observeerde James, 'een zekere nieuwsgierigheid omtrent mijn recente aanwinst van een monsterlijk ratelende maar o zo monumentaal moderne Remington. Het probleem in dezen is dat mijn vlijtige typist, een intelligente en aangenaam zwijgzame Schot, op de keper beschouwd een fortuin kost, en ik meen dat ik wel een bekwaam vrouwtje moet kunnen vinden voor de helft van het geld, n'est-ce pas? Zie ik het goed, meneer Conrad, als ik zeg dat u, in de bloei van uw jeugd als het ware, er niet over piekert te bezwijken voor de verlokkingen van een mechanisch hulpmiddel – zoals ik, op wie de last der jaren begint te drukken?'

Dicteren? Afhankelijkheid? Onvoorstelbare scheiding van hand en papier, de innerlijke stem die doorsijpelt in de uiterlijke, de oeroude heilige afzondering verbroken door de constante aanwezigheid van een levend wezen, een hardnekkige bemiddelaar, een constant meelevende tussenpersoon, de mens achter de toetsen! De vreselijke nederlaag voor de vruchtbare geest die leeft op papier, die leeft vóór papier, inkt en papier en verder niets! Conrad tuurde met toegeknepen ogen naar de elektrische tovenarij aan het plafond, een opgloeiend draadje dat in al zijn kleinheid de kracht van vuur wist na te bootsen, en hij bedacht dat Jessie bij haar naaiwerk misschien wel verlangde naar de voordelen van die noviteit. Maar hijzelf met zo'n Machine... nooit. Hij had zijn goede rechter zeemanshand en de stevige mast van zijn pen, en de zalige oceaan van papier, wit als een zeil en meedogenloos als de wind.

'Een amanuensis?' antwoordde hij. 'Nee, meneer James, zo vooruitstrevend ben ik niet. Ik heb zelfs een afkeer van revoluties. Ik heb in mijn tijd wel op stoomschepen gevaren, maar mijn opleiding heb ik genoten in de tijd van de zeilvaart. Ik vrees dat ik vastzit aan mijn slechte gewoonten.'

Kort na die kennismaking in DeVere Gardens had James de onverbiddelijke drukte van Londen de rug toegekeerd en was op het platteland gaan wonen, in zijn geliefde Lamb House – eindelijk een eigen huis. MacAlpine en de Machine had hij meegenomen. Maar op die warme middag in juni 1901, toen Conrad met Jessie en hun zoon Borys op visite kwam, was in beider levens enige verandering zichtbaar. Zo was MacAlpine vervangen door het uiterst bedreven (en goedkopere) vrouwtje waarop James had gehoopt: juffrouw Weld. En het kon James nu niet meer ontgaan dat Conrad een vrouw had – een fors gebouwde vrouw die er des te forser uitzag door alles wat ze bungelend en spartelend in haar armen droeg, zoals het krijsende kind dat kordaat over de drempel werd getild, een tas met spullen voor zijn verschoning en een schommelende mand vol rijpe pruimen. Desondanks liep ze met verende tred, al hinkte ze enigszins door een in haar kindertijd opgelopen knieblessure. De pruimen, zo legde ze uit, waren voor hun gastheer, al zou de kleine er ook best twee of drie lusten als meneer James het goedvond, en meneer James moest het de jongen maar niet kwalijk nemen, hij had de volle achttien mijl vanaf Kent in de sjees liggen slapen en was bij aankomst zo bruusk gewekt... Ze had het ongeschoolde accent van de straat; haar vader had in een magazijn gewerkt.

Conrad hield enige afstand van zijn vrouw en kind, merkte James, alsof het vreemden waren die om ondoorgrondelijke redenen in zijn kielzog meevoeren. Dit was een heel andere Conrad dan de dankbare jonge bewonderaar in DeVere Gardens. Zijn houding en gedrag verrieden een door het leven getekend en hooghartig karakter. Hij had inmiddels een handvol majestueuze romans het licht doen zien. Twee daarvan, The Nigger of the "Narcissus" en Lord Jim, hadden zijn naam als literaire grootheid gevestigd. Bij verschijning stuurden James en hij elkaar hun nieuwe werk toe; elk herkende in de ander een bezeten kunstenaar, al koesterden ze beiden ook heimelijke bedenkingen en twijfels: James vond Conrads werk een oerwoud van onbeteugelde overdaad; Conrad zag bij James slechts bloedeloos albast. Schrijven, zo had Conrad gezegd, betekende zijn pen in zijn eigen bloed dopen en stukken uit zijn vlees snijden. Hij was continu wanhopig en verkeerde met zijn gezin in voortdurende geldnood. Geregeld was hij ziek. Zijn zenuwen waren paniekerig en onbetrouwbaar. De tropenreizen van jaren geleden, naar Maleisië en Afrika, hadden zijn gestel ondermijnd – gevolg van de malaria die hij in Congo had opgelopen en de hardnekkige jicht die hem op gezette tijden aan het bed kluisterde. Die jicht teisterde zijn gewrichten; zelf schrijven ging niet meer. Soms leed hij helse pijnen als hij de pen ter hand nam. Hij had zijn grote, pijnlijk klauwende hanenpoten eerst door Jessie in het net laten overschrijven. Dat deed ze gretig en vol vlijt, maar als hij haar keurig volgeschreven vellen bekeek vond hij allerlei dwaze leesfouten, belachelijke omissies. Voor dit werk was ze niet geschikt. Ze was slim genoeg, ze kon op eigen houtje een redelijke zin vormen in fatsoenlijk, doordeweeks, praktisch proza; ze begreep de alledaagse wereld, ze begreep hém, maar ze had geen affiniteit met zijn bliksemflitsen van inzicht, zijn woeste galop en adembenemende scheppingsrazernij. Het krenkte hem dat ze het presteerde een metafoor terug te veranderen in iets letterlijks (al was dat op zichzelf weer een metafoor), en haar deed het oprecht verdriet dat ze niets kon doen voor zijn ontembare honger naar het woord, het schitterende Engelse woord. Zijn handschrift was ook zo moeilijk te lezen! Maar ze had een nicht, hield ze hem voor, een nicht die een secretaresseopleiding had gevolgd. Die was ervoor opgeleid, die zou het toch wel beter doen? De nicht werd aangenomen. Ze deed het niet beter.

James stond peinzend naar het kind te kijken. Die beweeglijke rode mond met de kleine tandjes, dat genadeloze ongegeneerde gebrul, kwam er geen eind aan? School er een duivel in dit kleine schepsel? Dit helse kabaal, en die ongewenste pruimen met hun zure schil – waren dat de vruchten van het huwelijk? O, daar school een les in!

'Mijn waarde mevrouw Conrad,' begon hij op zijn allerhartelijkste toon (de wellevendheid van loos gezwatel, placht hij dat bij zichzelf te noemen), 'zou het mogelijk zijn dat een eenvoudige verwennerij deze fulminerende hummel enigszins tot bedaren kan brengen? Alsjeblieft, ventje, met dit tongstrelende taartje waan je je in de hemel –'

Borys griste het tongstrelende taartje uit zijn hand, smeet het weg en hervatte het ritme van zijn protesten. Hij jammerde en hij spartelde, en met een blik op haar stoïcijns onverschillige echtgenoot zei Jessie opgewekt: 'Och, neemt u ons niet kwalijk, meneer James, maar ik zie hier al die prachtige rozen staan... heeft u soms een tuin? Borys zou dolgraag even in de tuin ravotten, en dan kunt u tweeën tenminste rustig met elkaar praten, nietwaar? Ik verzeker u dat Borys en ik het buiten prima naar ons zin zullen hebben.'

James aarzelde geen moment. 'Mevrouw Smith,' riep hij, 'wilt u ons even helpen?'

Uit een verdoken zijgang verscheen een bediende met een grote dampende ketel in haar hand. Ze rook naar sterke drank.

'Wilt u heet water voor de theepot, meneer?'

'Nog niet, mevrouw Smith. Mevrouw Conrad en deze alleraardigste jongeman zouden zich graag in de ommuurde bloemenweelde achter ons huis verpozen, en alstublieft, mevrouw Smith, haalt u dat levensgevaarlijke ding hier weg voordat we allemaal levend verbranden –'

Mevrouw Smith leek hem niet helemaal te begrijpen, maar Jessie tilde Borys op en volgde haar. De vrouw liep met onvaste tred en morste kokende druppels op de vloer. Meneer James was zonder twijfel van een bovenaardse intelligentie, dacht Jessie – had ze hem echt 'ommuurde bloemenweelde' horen zeggen? Maar ze had ook met hem te doen. Hij had geen echtgenote om voor het huishouden te zorgen. Een vrouw zou wel raad weten met een dronken bediende!

Ze wist niet waar de twee mannen die lange namiddag over spraken. Ze was buitengesloten, zoals gewoonlijk, al smachtte ze ernaar om het te horen. Er zat een kat in de tuin en daarmee wist Borys zich in de uren van hun verbanning voldoende te vermaken. Ach, kwam meneer James maar even naar buiten om te zien hoe schattig haar jongetje eigenlijk was! Maar mevrouw Smith had opdracht gekregen de helft van de verversingen naar de tuin te brengen, waar ze een tafel voor Jessie en het kind dekte. Het was duidelijk dat Conrad dit had bekokstoofd – dat dacht Jessie althans. Ze trok haar neus op: de vrouw verspreidde echt een walm van whisky en door haar wankele tred over de oneffen grond schudde de schaal met taartjes vervaarlijk heen en weer. Eén taartje viel op het gras en werd besprongen door de kat, die het na een likje weer de rug toekeerde. Al snel krioelde het er van de mieren. Maar afgezien van de mieren, en na verloop van tijd een eskader rondzoemende bijen, was het prettig toeven in deze ommuurde bloemenweelde (o, de woordkeus van die buitengewone man!). Ze had naaiwerk meegenomen en Borys vermaakte zich door de kat achterna te zitten langs de muur, of haar zachte staart door zijn vingers te laten glijden. Mevrouw Smith was nog een tweede maal verschenen en had om onbegrijpelijke redenen de mand pruimen meegebracht. Dat zinde Jessie niet en ze was bang dat hun gastheer geschoffeerd zou zijn toen ze van haar naald en draad opkeek en zag dat Borys ze allemaal had verorberd. Hij had ook vier van de zoete taartjes naar binnen gewerkt en was uiteindelijk in de late middagzon in slaap gevallen met zijn hoofd op de kat.

Toen ze meneer James hadden bedankt en Jessie zich had verontschuldigd voor de verdwenen pruimen, toen ze afscheid hadden genomen en met de sjees halverwege waren, vroeg Jessie aan Conrad waarover ze binnen hadden gepraat.

'Boeken,' zei Conrad. En vervolgens: 'Die verduvelde herrie, wat mankeerde de jongen in hemelsnaam?'

'Hij had gewoon honger,' zei Jessie. 'Maar wat heeft meneer James tegen je gezegd?'

'Je had geen pruimen moeten meebrengen. Hij eet ze niet graag rauw.'

'Hebben jullie het dáárover gehad?'

'Even maar. Vooral over boeken.'

'Die van hem? Of die van jou?'

'Van iedereen, dus hou er maar over op, Jess. En de kleine gaat niet meer mee op visite, dat is wel duidelijk.'

De pruimen waren ter sprake gekomen, ja, maar alleen vanwege de taartjes. Want mevrouw Smith mocht dan helaas vaak aangeschoten in de keuken staan, zo had James gezegd, ze was zeer bedreven in het maken van fruitgebakjes, wat ongetwijfeld zijn hoge boterrekening verklaarde. Van de zuivelprijzen waren ze te spreken gekomen over collega's – H. G. Wells, die min of meer in de buurt woonde, in de badplaats Sandgate, en Stephen Crane, de briljante jonge Amerikaan in Bede, hooguit acht mijl fietsen van Rye; en dan had je nog

Ford Madox Hueffer in Winchelsea. Hueffer was trouwens de dag tevoren langsgeweest, samen met Edmund Gosse. Al die goede bekenden! Conrad en Hueffer werkten momenteel samen aan een roman waarmee ze hun slag hoopten te slaan op de massamarkt van de uitleenbibliotheken – iets wat James bevreemdde, omdat hun schrijfstijlen nogal verschilden. Die opmerking had vanzelf geleid tot een discussie over stijl, en of je die kon scheiden van de diepere persoonlijkheid van de auteur. Conrad dacht van niet. De romanschrijver, zo had hij geponeerd (terwijl er zomaar ineens een pijnscheut door zijn hand trok), de romanschrijver legt in zijn werk immers zijn ziel bloot? Integendeel, had James tegengeworpen (maar de pijnscheut martelde nu beide handen van de arme gast: die vervloekte jicht, die op het meest ongelegen moment opvlam-de!), de kunstenaar legt telkens weer een níeuwe ziel bloot en verbergt zijn diepste ik achter die 'bekentenissen'. Zo ging het gesprek heen en weer, twee grote geesten die de degens kruisten, en hoe kon Conrad dat allemaal vertellen aan Jessie als zij hem met vragen ging bestoken, wat ze zeker zou doen? James was een vrij man; hij werd door niemand bestookt be-halve door Conrad, die hem bestookte met zijn standpunten. Wat de stijl betreft, zo ging hij verder: was er geen sprake van een storende invloed, een zekere vervuiling of aantasting, of hoe je het maar wilde noemen, wanneer de ziedende afgrond waar de geheimen van de taal in diepe sluimer liggen, werd blootgesteld aan de aardse elementen? Hoe zit dat met uw Machine, *cher maître*, uw MacAlpines en uw Welds! Uw deel-genoten en tussenpersonen!

De zon was al onder toen Conrad en Jessie aankwamen bij hun bekrompen oude boerderijtje – een van Hueffer ge-huurd boerenhuis niet ver van Winchelsea, om het samen-werken te vergemakkelijken. Toen Borys in bed lag en Jessie weer zat te naaien, verviel Conrad in zijn oude klaagzang.

'De pijn in mijn handen was weer zo erg, Jess, ik kon mijn hoofd nauwelijks bij het gesprek houden. En in mijn rechter nog het meest, zoals altijd.'

'Och gut, en je hebt de hele dag nog geen pen vastgehad...'

'Ik hoor van meneer James dat hij de laatste jaren goede ervaringen heeft met de Remington. Het leek mij een blok aan het been, maar hij verzekert me dat hij *The Ambassadors* in zijn geheel sprekend heeft gecomponeerd en hij meent zelfs dat het zijn toon heeft verrijkt – dat zijn ademtocht het boek heeft bezield. Dat weelderige volle proza, allemaal gedicteerd! En juffrouw Weld is volgens hem absoluut een parel. Ik ben te benepen geweest, Jess. Ik moet toch voor een aardige prijs een Remington kunnen vinden – meneer James heeft me voorgerekend wat de zijne heeft gekost. Ik denk dat we ons er binnenkort wel een kunnen veroorloven, zeker als het werk met Hueffer een beetje wil vlotten.'

Jessie snoof schamper. 'Het werk,' zei ze. 'Naar wat ik zie, komt dat werk vooral op jouw schouders neer. Met hem ga je heus niet rijk worden. Een man die zijn eigen naam niet goed genoeg vindt en zichzelf liever Ford Ford noemt, als een stotteraar!'

'Maar je begrijpt wel,' hield hij vol, 'dat het om meer gaat dan de kosten van de Remington...'

'Natuurlijk begrijp ik dat. Er moet ook een juffrouw Weld komen. Jij wilt je eigen parel.' Haar hartverwarmend opgewekte humeur tuimelde in al zijn goedlachsheid uit haar mond. 'Nou nou, meneer Conrad, wat een revolutie! En ik maar denken dat jullie de hele middag over pruimen zaten te praten.'

's Winters, als hij weinig bezoek kreeg, voelde Henry James zich eenzaam in Lamb House; al te vaak besloop hem dan een akelige somberheid. Soms voelde hij zich erin gevangen. Hij moest toegeven – zeker tegenover zichzelf – dat die somberheid dieper zat dan wat dan ook in zijn karakter, dieper zelfs dan de ondergrondse kronkelingen van zijn scheppingsdrang. Een buitengewone bekentenis: op het platteland maskeerde hij die somberheid met gulle vlagen van grootse gastvrijheid. Maar wat je ook voor kritiek op Londen kon hebben, het was er nooit eenzaam en de Reform Club – waar hij een deel van de winter doorbracht in een ruim appartement op de bovenverdieping en waar hij met gasten kon lunchen in de luisterrijke zuilenzaal op de begane grond – was de metropool op zijn best. Zijn kamer bood uitzicht op de daken en schoorstenen van fraaie ambassades en deftige herenhuizen. Het was hier dat hij zijn baard afschoor, die grijs werd en daarmee op zichzelf al een reden voor zwaarmoedigheid: hij vond dat hij hem oud maakte. En het was hier, op een regenachtige middag in januari 1910, dat juffrouw Lilian Hallowes en juffrouw Theodora Bosanquet elkaar bijna niet hadden ontmoet.

Conrad en zijn vrouw waren naar Londen gekomen om een arts te raadplegen. Jessie had nog last van de laatste operatie aan haar knie (ze had er al meerdere ondergaan) en moest opnieuw worden geopereerd. Een paar jaar geleden was ze op straat ten val gekomen tijdens het winkelen, wat de vervelende kwaal uit haar tienertijd had verergerd. Ze leefde tegenwoordig als een invalide. Gebruikmakend van een leemte in hun dagschema – Jessie lag te rusten in het hotel – had Conrad met juffrouw Hallowes afgesproken dat ze de laatste pagina's getypte tekst van zijn huidige werk zou afleveren in de Reform Club, waar James, zodra hij had gehoord dat zijn oude vriend in de stad was, hem had uitgenodigd voor een van hun vertrouwde gesprekken. Conrads instructies waren simpel. Hij had enkele noodzakelijke verbeteringen in gedachten en wilde die meteen aanbrengen. Juffrouw Hallowes moest zich melden bij de conciërge en dan simpelweg de trap op lopen naar de vertrekken van de heer James, de uitgetypte tekst aan haar werkgever overhandigen en snel en geruisloos vertrekken. Elk risico op een treffen met juffrouw Bosanquet, hoe vluchtig ook, moest worden vermeden. Op dit tijdstip had James waarschijnlijk net zijn werk van die ochtend afgerond en juffrouw Bosanquet naar huis gestuurd. Hij was deze winter de inleidingen aan het dicteren bij de monumentale verzamelde editie van zijn werk. Daarin wilde hij al zijn romans en verhalen, de oogst van een heel schrijversleven, bijeenbrengen en eindelijk vervolmaken. Hij wilde ieder werk zin voor zin onder de loep leggen en de teksten uit zijn beginperiode bijwerken in de rijpere stijl van zijn latere jaren, en hij was benieuwd naar Conrads mening over dit obsessieve herschrijven. Hield Conrad na al die jaren nog steeds vast aan zijn theorie dat de stijl van een schrijver zijn ziel blootlegt? En als die stijl dan uiteindelijk werd aangepast? Betekende dat dan niet dat je diepste ik, je ogenschijnlijk onveranderlijke karakter, uiteindelijk toch veranderlijk was?

Toen Conrad, behoorlijk verregend, de weelderige Griekse zuilengalerij op de benedenverdieping van de Reform Club betrad, kon hij nog niet bevroeden dat dit het plagerige – en mogelijk beladen – gespreksonderwerp zou worden. Maar hij wist wel dat het gelijktijdige verschijnen van de twee dames, in aanwezigheid van James en hemzelf, verduveld gênant zou zijn. Juffrouw Hallowes had een blik geworpen (had zelfs onbelemmerd uitzicht) op de donkerste uithoeken van zijn ziel. Ze was deelgenoot van zijn aarzelingen, zijn twijfels, zijn bedenkingen, en zeker van zijn opwinding; ze was zijn dubbelganger in de wezenlijke zin van het woord, omdat alles wat uit hem kwam onmiddellijk door haar werd gedupliceerd op de Machine. Zijn gedachten stroomden regelrecht door haar heen, onveranderd, onversneden, ongeketend. Ongetwijfeld gold hetzelfde voor James en de kittige juffrouw Bosanquet: de geringste trillingen van James' gemoed stroomden door de vrouw die hem haar diensten en haar aandacht schonk – dat kon toch niet anders? Als deze twee jongedames, juffrouw Hallowes en Bosanquet, bij elkaar kwamen, al was het maar even, kon dat slechts een demasqué betekenen. Uit het gezicht van juffrouw Hallowes, uit haar houding, ja, uit het model en de slijtage van haar schoenen zou James, met de wichelroede van zijn fenomenale intuïtie, onmiddellijk afleiden welk bezwaar Conrad heimelijk tegen hem koesterde: dat het werk van de kosmopolitische Meester, met zijn beschaafde ingetogenheid, zijn technische perfectie, zijn zo volmaakt afgewerkte, fijngesneden, geciseleerde stijlfiguren, op de keper beschouwd zo kil als steen was. Dat onder de gloed een koele harteloosheid school. En in het gezicht en de houding en misschien zelfs in het model en de slijtage van de schoenen van juffrouw Bosanquet zou Conrad zelf – angstaanjagend vooruitzicht – de pijlen van James' verborgen afkeuring kunnen ontwaren.

Dit bange voorgevoel werd niet bewaarheid. Juffrouw Bosanquet was gelukkig al vertrokken toen Conrad aanklopte en James de deur opende, Conrad op de schouder sloeg en meetroonde naar het haardvuur, onder veelvuldige uitroepen als 'wat heerlijk om je te zien' en 'mijn beste kerel' en bezorgde vragen naar de gezondheid van mevrouw Conrad en aansporingen om een glaasje sherry te nemen en toch vooral plaats te nemen in de stoel met uitzicht op het fraaie gebouw aan de overkant, waar de Turkse ambassade was gehuisvest: op het dak waren een groene halve maan en een groene ster geschilderd. En toen werd er weer aangeklopt en was het juffrouw Hallowes, die precies zoals opgedragen langskwam met het nieuwste deel van het zeemansverhaal dat Conrad misschien 'The Second Self' zou noemen, of 'The Secret Stranger', al kon het ook nog iets anders worden.

'Mijn hartelijke dank, juffrouw Hallowes,' zei hij terwijl hij de vochtige map aannam. Ze had haar best gedaan om hem onder haar mantel tegen de regen te beschermen. 'Meneer James, mag ik u voorstellen aan de persoon die ik te danken heb aan uw goede voorbeeld? Mijn amanuensis juffrouw Hallowes, die nu, hondenweer of niet, snel gaat genieten van haar dag in Londen –'

Onder haar natte, onelegante hoed met het natte pluimpje werd de ietwat prominente neus van juffrouw Hallowes roder. Ze had een lange hals – ze was in alle opzichten lang – met onderaan een knotje. Het was een knotje van bruin haar, het soort bruin dat altijd over het hoofd wordt gezien als het niet behoort aan een bijzonder mooie vrouw. Juffrouw Hallowes was geen bijzonder mooie vrouw. Ze was zevenendertig en had het begin van een onderkin. Hij sprong niet heel erg in het oog maar vormde een zachte ronde uitstulping als ze het hoofd boog. En achter de Machine zat ze meestentijds met gebogen hoofd. Soms werd door de intense beweging van haar vingers en schouders de knot los geschud en bevrijd uit de kooi van haarspelden, en dan golfde haar haar over die lange rug; ze vroeg zich af of meneer Conrad het zag. Ze werkte nu zes jaar voor hem en was tegelijkertijd wel en geen lid van het huishouden – als een gouvernante in een roman. Ze bracht Borys vaak naar school. Toch spelde meneer Conrad na al die tijd haar voornaam nog steeds verkeerd, schreef hij 'Lillian' met dubbel l terwijl het er maar één moest zijn en noemde hij haar zijn 'meisje'. Ze was blij dat hij haar niet 'mijn meisje' had genoemd tegen meneer James, die nu naar haar keek, of liever ín haar binnenste leek te kijken, met die zoeklampen van ogen. Hij was veel dikker dan ze had verwacht, met een bolle buik en een dubbele kin, een akelige herinnering aan haar eigen voorland. Ze stond op zijn keurige tapijt te druppen; buiten regende het pijpenstelen; ze wilde dat ze bij zijn haardvuur kon gaan staan. Haar voeten waren doorweekt en ijskoud. Maar ze kon niet blijven – ze begreep dat ze slechts een noodzakelijke onderbreking was. Als meneer James zijn oordeel over haar maar niet baseerde op de rampzalige staat van haar schoenen!

Ze zei: 'Aangenaam, meneer James,' en liep naar de deur. Ze legde haar hand op de deurknop, maar die draaide al krachtig rond, als vanzelf, en van de andere kant gleed een hand naar binnen die langs de hare streek en daar sprong juffrouw Bosanquet de kamer in.

'Het spijt me ontzettend, ik was al bijna buiten – ik geloof dat ik mijn paraplu vergeten ben.'

De vergeten paraplu! Afgezaagde truc, list met een baard! Maar misschien ook niet – het was tenslotte een feit dat juffrouw Bosanquet toestemming van James had om in zijn vertrekken een paraplu te stallen. Toen ze om tien uur was gekomen regende het nog niet zo hard en ze maakte zich niet druk om zoiets onbenulligs als een spatje regen – in tegenstelling tot sommige dames, die deden of ze van suiker waren en in de regen zouden smelten. Maar zelfs juffrouw Bosanquet moest erkennen dat ze wel een paraplu kon gebruiken wanneer de regen opspatte van het trottoir en een snijdende wind je gezicht striemde met sloten ijskoud water. Vandaar de paraplu voor noodgevallen in de kast van de Meester. De motregen van die ochtend was inmiddels uitgegroeid tot een nietsontziende winterse bui, en dat zou heel goed kunnen verklaren waarom juffrouw Bosanquet binnenstormde om haar paraplu te halen juist op het moment dat juffrouw Hallowes vertrok, en daarbij per ongeluk langs de grote, interessante hand van juffrouw Hallowes streek.

Er was ook een andere mogelijke verklaring. Toen het werk van juffrouw Bosanquet erop zat en ze door de monumentale ontvangsthal naar de uitgang liep, hoorde ze iemand de naam van de Meester noemen. Een lange vrouw met een onverzorgd knotje en een charmant, mal hoedje stond bij de balie van de conciërge te zeggen dat ze werd verwacht en vroeg waar ze de vertrekken van de heer James kon vinden. Ze liep vervolgens verder tussen de reusachtige zuilen in de hal en bleef even staan om van onder haar mantel een map tevoorschijn te halen van het soort waarin men manuscripten stopt. Dit was ontegenzeggelijk merkwaardig: juffrouw Bosanquet was precies op de hoogte van werkelijk elk gewijd vel papier dat het heiligdom van de Meester binnenkwam of verliet; elk heilig woord dat uit zijn mond kwam danste onder haar behendige vingertoppen en etste zich onuitwisbaar in haar hersenen. Was deze vrouw, blijkbaar ontboden door de Meester, wellicht een geheime concurrente? Viel het harde werk aan de voorbereiding van zijn Verzamelde Werken hem zo zwaar dat hij twéé amanuenses nodig meende te hebben, één voor de eerste helft en één voor de tweede helft van de dag? Juffrouw Bosanquet was zich ervan bewust dat ze voorgangers had gehad – en dat die allemaal bij haar verbleekten. Kreeg ze nu dan toch een rivale? Voor de al te kostbare MacAlpine had de Meester ander emplooi gevonden, en juffrouw Weld had in de bloei van haar jeugd afscheid genomen om te trouwen. Juffrouw Bosanquet wist dat op de laatste, een zekere juffrouw Lois Baker, soms nog een beroep werd gedaan als zijzelf verstek moest laten gaan: was dit wellicht diezelfde juffrouw Baker, deze gekwelde en gehaaste vrouw die nu bleef staan en de verdachte map tegen de voet van een zuil zette om de spelden in haar knot goed te steken? Ze had de haren bevrijd, het haar viel los voor ze het weer bij elkaar kon rapen en in dat korte onthullende moment, toen die zware haardos achteloos en donker heen en weer zwaaide, vond juffrouw Bosanquet dat juffrouw Baker, als het juffrouw Baker was, deed denken aan een zeemeermin die ineens was bevrijd van een boze toverspreuk – ze was er ook nat genoeg voor! Verborg ze naast dat mysterieuze manuscript soms ook glimmende schubben en een gevorkte staart onder haar mantel? Haar lange verhulde lichaam liet, als een gestrande zeemeermin, plassen water achter op de marmeren vloer. Ze had een brede, verlegen mond in een breed, verlegen gezicht, het soort gezicht dat je soms zag op oude schilderijen van de Madonna waarvoor duidelijk een onaantrekkelijke boerenmeid model had gezeten, met grove trekken maar een gelaatsuitdrukking van vrome vervoering. De ogen van juffrouw Baker, als zij het was, waren te klein en haar neusvleugels te vlezig, maar zoals ze daar stond, met haar handen in haar nek en om zich heen kijkend alsof ze onder het gewelf van een machtige kathedraal stond, leek ze gedwee en argeloos te gloeien van maagdelijkheid. Ze pakte haar map en liep verder.

Tien minuten lang bleef juffrouw Bosanquet dralen en peinzen, dralen en peinzen – en er wás tenslotte nog de kwestie van de paraplu, nietwaar? Dus toen ze terugging naar de vertrekken van de Meester en het waagde om er binnen te vallen, waarbij ze onverwacht langs de hand streek van juffrouw Baker die aan de andere kant van de deur op het punt stond te vertrekken... maar nee! Het kon juffrouw Baker niet zijn, ondanks alles. Tot haar verbijstering zag juffrouw Bosanquet dat de Meester sinds haar vertrek bezoek had gekregen en dat de gast (onmogelijk om hem niet te herkennen) de vermaarde Joseph Conrad was; en dus, redeneerde ze meteen, was het manuscript dat de veronderstelde juffrouw Baker meedroeg niet van de Meester, maar van de heer Conrad. Het bewijs: meneer Conrad hield de map al tussen zijn nerveus knijpende vingers geklemd. En waarom kneep hij er zo krampachtig in, en keek hij de twee dames zo ontstemd aan, alsof ze hem een obscuur letsel wilden toebrengen?

Het was gebeurd. Er viel niet meer aan te ontkomen. Deze twee vrouwen waren niet geacht elkaar te ontmoeten, en waren bij Gods gratie ook nooit aan een ontmoeting toegekomen – maar hier stonden ze nu, naast elkaar: hij dacht zelfs bijna te hebben gezien dat ze elkaar heimelijk een hand gaven. Het noodlot schuilt soms in een triviale samenloop van omstandigheden – die verduvelde paraplu! Hij kneep in de map die juffrouw Hallowes zojuist had afgeleverd (stipt als altijd) en kneep er nog eens in, hield hem tegen zijn brandende borst geklemd – een schild tegen de gretig starende ogen van juffrouw Bosanquet, met die sluwe, borende blik van iemand die geheimen bewaakt. Welke laatdunkende opmerking, vrucht van een bovenaards kritische geest, had de Meester haar toevertrouwd? Welk fataal tekort – hij was gedoemd tot tekortschieten, zwoegen en wanhopen – herhaalde ze nu bij zichzelf, met haar blik strak gericht op deze nieuwste vrucht van zijn arbeid? Dat zijn verhalen eindeloze reeksen van doosjes in doosjes waren, Russische matroesjka's, raamvertelling binnen raamvertelling, dat hij overal losse eindjes liet hangen, dat hij leed aan een onbeheersbaar woekerende wildgroei van woorden? In juffrouw Bosanquets vrijmoedige ongedwongenheid in het bijzijn van de Meester las hij James' verdoken oordeel – nu nog binnenskamers, maar ooit kon het toch zwart op wit komen te staan? 'Het werk van de heer Conrad dwingt groot respect af, maar vertoont ook zodanige tekortkomingen dat het geen buitensporige bewondering verdient.' Juffrouw Bosanquet, die wist wat bewondering was, verried het allemaal met haar langdurige, priemende blik. En de arme juffrouw Hallowes met haar kleine devote oogjes (soms vermoedde hij dat hij door juffrouw Hallowes werd aanbeden), welke duistere kanten van zijn

31

eigen verzwegen oordeel over de Meester stond zíj nu te verraden? Hij wilde dat ze verdwenen, allebei!

Maar de Meester trad naar voren en stelde juffrouw Bosanquet op zijn meest bloemrijke, adellijke manier aan juffrouw Hallowes voor. 'Een ongekend moment,' verklaarde hij, 'nimmer voorzien in de hogere kansberekening, dit treffen van twee parallelle dienaressen. Hoor je het al, mijn beste Conrad? Die donderklap op de Olympus, het gekletter van de Remingtons?' En toen ze waren vertrokken, juffrouw Bosanquet voorop, zwaaiend met haar paraplu, en juffrouw Hallowes op haar deerniswekkende schoenen er achteraan als achter de staf van de tambour-maître, vroeg hij: 'En ben je tevreden met je juffrouw Hallowes?'

'Zeer tevreden,' zei Conrad.

'Ze begrijpt wat je wilt zeggen?'

'Volkomen.'

'Juffrouw Bosanquet – je ziet hoe kwiek en jongensachtig ze is – toch is ze meer waard dan al mijn eerdere dames bij elkaar. Een van de tekortkomingen van mijn vorige amanuenses – en bij lange na niet de énige tekortkoming – was hun klaarblijkelijke onbegrip voor wat ik probeerde uit te drukken. En juffrouw Bosanquet is bewonderenswaardig discreet.'

'Minder mag men niet verwachten.'

'En juffrouw Hallowes, vermoed ik, is voor jou ook een juweeltje?'

'Zeker,' zei Conrad, al dacht hij bij zichzelf dat Jessie die mening steeds minder was toegedaan.

'Geef me uw arm of u past er nooit onder,' drong juffrouw Bosanquet aan. 'Wonderlijk dat u er zelf geen bij u hebt. U bent drijfnat, juffrouw Hallowes!'

'Ik had er wel een meegenomen, maar de wind klapte hem

dubbel en rukte hem uit mijn handen, hij woei het plein over en ik kon er niet achteraan omdat meneer Conrad erg aan stiptheid hecht –'

'Wat een fortuinlijke pech! De sterren zijn ons gunstig gezind, juffrouw Hallowes – als u maar één minuut later was geweest, liepen wij nu waarschijnlijk niet arm in arm door de regen te plenzen... Ik zou u zo graag nog een half uurtje spreken – mag ik vragen of u dringende verplichtingen hebt?'

'Ik moet bij mijn moeder langs, ze sukkelt met haar gezondheid.'

'Een half uurtje, meer vraag ik niet. Zullen we bij de eerste de beste Lyons even schuilen? Ik geloof dat ik elke theesalon in de buurt wel ken. Ik haal er 's ochtends vaak een doughnut voor meneer James.'

Juffrouw Hallowes dacht een beetje beschroomd aan haar moeder, maar bij haar moeder betrachtte ze niet dezelfde stiptheid als bij meneer Conrad. 'Het zou wel heerlijk zijn om mijn voeten even te drogen.'

'Ach, die arme verzopen voetjes!' riep juffrouw Bosanquet uit – wat juffrouw Hallowes misschien een tikje te familiair vond van iemand die ze nog geen kwartier geleden had ontmoet. Maar juffrouw Bosanquets lichaam voelde behaaglijk warm, zo tegen haar aan geschurkt onder het krappe afdak van de paraplu.

Toen ze aan een tafeltje zaten met twee bruine porseleinen potjes thee en een kleverige suikerpot tussen hen in, vroeg juffrouw Bosanquet, alsof ze oude vriendinnen waren: 'En hoe ís het met uw moeder?'

'Ze heeft een zwak hart. Mijn moeder is weduwe en voelt zich erg alleen. Het is niet alleen haar gezondheid waar ze last van heeft. Ze is vaak bedroefd.'

'Wat een geluk is het dan,' zei juffrouw Bosanquet, 'dat ze een dochter heeft om haar op te monteren –'

'Zo makkelijk is ze niet op te monteren. Mijn moeder is in de rouw.'

'Is het verlies zo recent?'

'Helemaal niet. Mijn broer is al meer dan vijf jaar dood. Maar voor mijn moeder is het verdriet nog vers.'

'Uw moeder moet een bijzonder gevoelige vrouw zijn. En dat geldt wellicht ook voor uzelf, juffrouw Hallowes?'

Zo'n onverwacht intiem gesprek, en op zo'n openbare plaats! De schaarse ramen waren grijs en beslagen, maar het licht in de grote ruimte van de theesalon met zijn rijen witte tafeltjes deed bijna pijn aan haar ogen. Ze voelde zich onaangenaam omsingeld en klemgezet en juffrouw Bosanquet keek haar zo indringend aan dat ze zich begon te generen. In de bovennatuurlijke destilleerkolf van wederzijdse waardering waarover ze kennelijk beschikte had juffrouw Bosanquet haar vernedering ontwaard, en meer dan dat: ze gaf die alle ruimte, ze hengelde naar ontboezemingen.

'Uw broer,' zei ze, 'moet in slechte gezondheid hebben verkeerd?'

'Er mankeerde hem niets.'

'Dan neem ik aan dat hij is omgekomen door een akelig ongeval –'

'Hij heeft zelfmoord gepleegd.'

'O, arme juffrouw Hallowes. Maar hoe –'

'Hij heeft zichzelf door het hoofd geschoten. Ongezien, in de eersteklascoupé van een rijdende trein.'

Ze werden omgeven door gerinkel van bestek, geruis van uitgeschudde regenjassen en geroezemoes van dooreenlopende gesprekken, nu en dan doorsneden door een schelle lach of de doordringende geur van natte wol. Juffrouw Hallowes zat zich te verbazen: dat ze dít zomaar over Warren zat te vertellen, dat was niets voor haar! Maar juffrouw Bosanquet hoorde toe zonder te oordelen, met de vanzelfsprekendheid en geoefende kalmte van een verpleegster of een geestelijke – of zelfs van een dweperige gebedsgenezer.

'Ik begrijp het volkomen,' zei juffrouw Bosanquet. 'Uw moeder kan zo'n tragedie nauwelijks te boven zijn. Ze steunt zeker sterk op u? Ze is van u afhankelijk?'

'Dat klopt allemaal.'

'En uw hele leven draait nu om haar?'

'Mijn leven draait om meneer Conrad.'

Juffrouw Bosanquet boog naar voren; de holten onder haar hoge jukbeenderen werden donkerder, haar ranke schouders zweefden boven haar kopje. 'Wij zijn als twee druppels water, juffrouw Hallowes. U met meneer Conrad, ik met meneer James. In de hele geschiedenis van de wereld zijn maar weinigen zo bevoorrecht geweest als u en ik. Dit moeten we nader bespreken. Ik neem aan dat u bij uw moeder inwoont?'

'Ik heb een flat in Blessington Road, maar ik blijf geregeld enkele dagen bij haar.'

'En hoe bent u bij meneer Conrad beland?'

'Ik werkte bij een agentschap voor secretarieel werk, zo kwam ik bij hem terecht. Mijn werk scheen hem te bevallen en hij nam me in dienst.'

'Mijn eigen entree in deze functie was ietwat doortrapter, vrees ik. Ik heb mezelf speciaal voor meneer James het vak geleerd. Op ons agentschap werden enkele hoofdstukken van The Ambassadors gedicteerd aan de hand van de transcriptie van een stenograaf. Ik hoorde dat meneer James niet tevreden was over onze diensten en een vaste amanuensis zocht, en toen heb ik mezelf leren typen. Het was een vooropgezet plan – ik heb het helemaal zo beraamd. U zult me wel een gevaarlijke vrouw vinden!'

'U bent erg direct.'

'Ja, dat ben ik. Ik vind dat u me om te beginnen maar

Theodora moet noemen. Een paar goede vriendinnen zeggen Teddie, maar u kunt beginnen met Theodora. En hoe mag ik u noemen, juffrouw Hallowes?'

Juffrouw Hallowes kuchte bezorgd. Ze hoopte niet dat ze verkouden werd. Ze zei: 'Ik moest maar eens naar mijn moeder gaan –'

'Probeer me alstublieft niet te ontlopen. Daarvoor hebben we te veel met elkaar gemeen. We bevinden ons in zo'n buitengewone positie. Meneer James en meneer Conrad zijn genieën, en het nageslacht zal ons eren als het doorgeefluik van geniale kunstwerken.'

'Ik denk nooit aan het nageslacht. Ik denk alleen aan meneer Conrad en hoe ik hem het best van dienst kan zijn. Eerlijk gezegd... weet ik zeker dat hij dat zelf ook weet, hij heeft het met zoveel woorden gezegd in een brief aan meneer Pinker, een brief die ik zelf heb getypt – hij is zich vaak totaal niet bewust van mijn aanwezigheid, hij stond er gewoon niet bij stil – en hij schreef meneer Pinker dat ik nog gratis voor hem zou werken als hij het toestond. En dat is ook zo. Bovendien, juffrouw Bosanquet –'

'Theodora.'

'– is meneer Pinker ook een doorgeefluik, zoals u het noemt. Al het werk van meneer Conrad gaat door zijn handen.'

'Dat van meneer James ook. Maar meneer Pinker is niet meer dan een literair agent. Meneer Pinker komt op het tweede plan. Sterker nog, op het derde plan. In de toekomst zal niemand zich zijn naam herinneren, dat verzeker ik je. Meneer Pinker heeft niet de gezegende taak om te luisteren naar de ademhaling, de stiltes, het gezucht en het ijsberen... soms, als meneer James en ik uren aan een stuk hebben gewerkt, legt hij zwijgend een stukje chocolade bij mijn hand, haalt het zelfs voor me uit het zilverpapier...'

36

'Het komt wel voor, als meneer Conrad aan het eind van de dag doodmoe is, dat we in zijn werkkamer tegenover elkaar zitten te roken. Dat bevalt mevrouw Conrad helemaal niet.'

'Rook je? Dan ben je een vooruitstrevende vrouw!'

'Niet zo vooruitstrevend als u, juffrouw Bosanquet – maar u bent nog jong, en beter ingevoerd in de nieuwe manieren.'

'Zeg toch Theodora! En ik ben al over de dertig. Als je met "de nieuwe manieren" elkaar bij de voornaam aanspreken bedoelt... Maar kom, we leiden praktisch hetzelfde leven, we zijn haast zussen! Het is tegennatuurlijk voor zussen om elkaar zo formeel te bejegenen – heb jij geen zussen?'

Juffrouw Hallowes zei ernstig: 'Alleen twee broers, waarvan er een dood is.'

'Dan heb je er nu een zus bij, en je kunt mij alles toevertrouwen wat je maar wilt. Jij maakt zelf juist een heel jonge indruk – ben je nog nooit verliefd geweest?'

Juffrouw Hallowes viel weer terug op haar nieuwe kuchje. Het was geen opkomende verkoudheid, het was de herkenning. Juffrouw Bosanquet – Theodora! – had een wildernis van wurgende wingerds betreden. Verliefd? Ze meende, ja ze wist wel zeker (en had dat in het bijzijn van mevrouw Conrad ook hardop gezegd!) dat ze de werken van meneer Conrad in haar hart droeg en tot na haar dood zou blijven dragen. De waarheid was dat ze die hele zes jaar lang al stilzwijgend van hem hield. Meneer Conrad had er geen idee van; ze vermoedde dat hij haar zag als een onverklaarbaar levend onderdeel van de Machine en de werking van die machine zelf was hem een volstrekt raadsel. Maar mevrouw Conrad, eenvoudig en prozaïsch als ze was, had een sterke intuïtie en een scherpe blik en een nog veel scherper gehoor. Het was meer dan eens gebeurd dat juffrouw Hallowes aanzat aan het diner bij het gezin – inmiddels uitgebreid met de kleine John –

en mevrouw Conrad het hoofd afwendde als ze om de boter vroeg.

Maar dit alles biechtte ze niet op aan, aan... aan Theodora.

In plaats daarvan zei ze: 'Je mag wel Lilian zeggen, maar noem me alsjeblieft nooit Lily. En als je mijn naam schrijft, moet het met één l, niet twee.'

'Geef me je hand, Lilian.'

Theodora reikte over het suikerpotje en streelde de hand die ze voor het eerst had aangeraakt bij de deur van de Meester. Het was een brede, zachte handpalm, niet bedacht op vrouwelijke liefkozingen.

'Laten we snel weer afspreken,' zei ze.

Toen Lilian die avond bij haar moeder vertrok, was het later dan ze van plan was geweest. Ze had bij de slager lamskoteletjes gehaald, een lievelingsgerecht van haar moeder, en ze had de koteletjes gebraden en geprobeerd over iets anders dan Warren te praten. Haar moeders klaagzangen voerden altijd onafwendbaar naar Warren en vervolgens natuurlijk naar Lilian zelf, en de gebruikelijke ruzie. Warren was zevenendertig toen hij de hand aan zichzelf sloeg ('toen hij ons werd ontnomen,' zei haar moeder), precies de leeftijd die Lilian nu had. Voor haar moeder was het daarom een onheilspellend getal. Het stond voor het afsnijden van mogelijkheden, het einde van een leven. Het droeve lot van de ongehuwde.

'Zevenendertig! Het is niet goed om alleen te blijven, schat. Kijk naar mij, moederziel alleen in huis. Ik zou vergaan van eenzaamheid als jij niet af en toe langskwam. En jij zit daar maar de hele dag opgesloten met die oude man, daar zit toch geen toekomst in?'

'Meneer Conrad is niet oud. Hij is drieënvijftig en hij heeft kleine kinderen.'

'Alsof ik dat niet weet, je praat me de oren van het hoofd over die twee, het is John en Borys hier en John en Borys daar. Je zou haast denken dat het je eigen kinderen zijn, met alle cadeaus die je ze geeft. En dat zou nog niet zo'n ramp zijn als je zelf ook een paar kinderen hád. Elk jaar dat je bij meneer Conrad zit is verspilde tijd. Ik vind hem een slecht mens, zoals hij je daar opsluit en je uitperst –'

'Alstublieft, moeder –'

'Ik heb het heus wel gelezen, dat boek met verhalen van hem dat je me met kerst hebt gegeven, terwijl ik eigenlijk een lekker warme wollen sjaal nodig had –'

'Die sjaal heb ik u óók gegeven, moeder, en nog een paar handschoenen, dat weet u toch nog wel? En die nieuwe theemuts die nu over de pot zit.'

'– dat akelige akelige *Heart of Darkness*, zo'n gruwelijk verhaal als ik nooit van mijn leven had kunnen verzinnen. Wat die man niet door het hoofd moet spoken!'

'Verheven gedachten. Meneer Conrad is een heel groot schrijver. Het nageslacht zal zijn herinnering koesteren.'

Nageslacht. Zo onwaarschijnlijk: dat angstaanjagende woord, hoe dat in al zijn typische onbeholpenheid ineens de aandacht trok, het paste totaal niet in haar moeders keuken – precies het woord dat juffrouw Bosa... *Theodora*... enkele uren tevoren ook had gebruikt.

'Daar heb je gelijk in,' zei haar moeder. 'De man heeft zonen, dat is het enige nageslacht, als je het zo wilt noemen, waarom een normaal mens zich moet bekommeren. En als je dan zelf een kind verliest, zoals onze Warren –'

Haar moeder begon te huilen, een opluchting voor Lilian; niet dat ze harteloos was, maar aan de tranen van haar moeder was ze gewend, en die had ze liever dan een gesprek over een huwelijk dat nooit zou plaatsvinden.

Lilian lag in haar bed in de kleine flat in Blessington Road en spitste haar oren. Aan één wand had ze een grote spiegel gehangen om in haar kloostercel van een kamer een illusie van diepte te creëren, en nu kon ze vanaf het hoofdkussen naar haar spiegelbeeld liggen staren. Ze zag het witte kussen achter zich; ze zag haar hoofd op het kussen. Ze zag haar witte gezicht, vaag in het halfduister en (zo beeldde ze zich in) spookachtig. Maar ze was geen spook – ze was van vlees en bloed, kneedbaar als deeg, een vrouwenlijf alleen in bed, met haar hand op haar borst. Een vrouwenhand die nooit door iemand was gestreeld – afgezien van die vluchtige aanraking bij de deur van meneer James en die merkwaardige hypnotiserende streling in de theesalon. Theodora had haar hand gepakt en om en om gedraaid, en toen voor de grap gedaan alsof ze haar handpalm las als een waarzegster, en toen had ze haar vingers in die van Lilian gestrengeld en haar aangekeken... hoe moest je het noemen? – sluw, bijna prikkelend, zoals nog nooit iemand haar had aangekeken, alsof ze verbonden waren door de hartenklop van een onbekend doel. Nu stegen er stemmen op uit haar hoofdkussen, bekende en gevaarlijke stemmen: de hele week had ze bij meneer Conrad zitten werken en de kronkelpaden gevolgd van die stemmen die nu eens traag uit zijn ingewanden omhoog kringelden en dan weer in een woest kolkende wervelwind naar buiten werden geslingerd, zodat haar vingers er achteraan ijlden en de Machine ratelde, de lampen rammelden, de porseleinen beeldjes van mevrouw Conrad rinkelden. Het waren dezelfde stemmen die ze die dag naar de Reform Club had meegenomen – het hart van een verhaal dat nog niet was voltooid, nog geen titel had. De stemmen zaten in haar oren, in haar keel, in de kronkellijnen op haar vingers. *Mijn dubbelganger. Mijn tweede ik. Mijn besef van identiteit. Ons geheim verbond. Mijn geheime deelgenoot.* De stemmen brachten haar van haar stuk, joegen haar angst aan, en toen meneer Conrad eindelijk ophield met dicteren zag ze hoe uitgeput hij was. Ze was zelf ook uitgeput. Hij pakte zijn aansteker en stak hem in zijn zak. Hij kreeg het maar niet te pakken, zei hij, hij had zelfs nog geen titel en Joost mocht weten wanneer hij het ooit persklaar zou krijgen. Hij had nu geen zin om te roken – hij was rood aangelopen, zag er zwakjes en verfomfaaid uit, alsof hij de hele middag had zitten overgeven.

Ze tilde haar hand van haar borst en tikte er zacht op met haar andere hand, gaf er klopjes op, aaide hem, streek de vingers glad, gleed met haar vingers langs de knokkels en onder de zachte kromming van de palm – net zoals Theodora met haar hand had gespeeld in de theesalon, als een stuk speelgoed, en toen, tóen... had ze hem opgetild, met een stralende glimlach, alsof ze dat curieuze speeltje naar haar lippen wilde brengen. Die blik van verstandhouding en die verrassende huivering die haar over de rug liep – een vrouw die bijna leek te verlangen een andere vrouw de hand te kussen! Ze vond het opwindend en verontrustend – het gevoel leek zo sterk op... dat ene moment, of eigenlijk meerdere momenten, toen ze zich te gehaast van de Machine had omgedraaid om meneer Conrad de uitgetypte vellen van die dag aan te reiken en een hele stortvloed van pagina's uit haar hand was geglipt en kriskras op het tapijt beland, waarop ze beiden waren neergehurkt om de vellen op te rapen ('Net koelies in een rijstveld,' had hij gegromd), hun hoofden dicht bij elkaar en hun armen verstrengeld... De uiteinden van zijn vingers waren hard, de aderen in zijn polsen dunne blauwe koorden onder haar ogen: de verweerde klauw van een zeeman, en de onvoorziene beweging ervan, de ruwe aanraking, bracht haar van haar stuk, trof haar met een soort dorst. En toen stond mevrouw Conrad in de deuropening boos te kijken, en was het alleen nog meneer Conrad die zijn hand uitstak om juffrouw Hallowes overeind te helpen.

Uit het steegje onder haar slaapkamerraam, door de ruiten die haar in een schemerige nevel van bijna-licht hulden, klonk luid gekletter: een metalen vuilnisvat dat omviel. De vos was weer aan het scharrelen. Een sluwe vos uit een fabel, een vos die in een woud thuishoorde. Maar ook in de buitenwijken van Londen worden vossen gesignaleerd, en één keer toen ze op een winteravond terugkwam van haar moeder had ze een bruine vlek onder de lantaarnpaal gezien; hij was meteen weer verdwenen. En een andere keer in de vroege ochtend – vrouw en dier, allebei alleen, allebei afgedwaald van de roedel, gebiologeerd naar elkaar starend, roerloos in hun paniek. De ogen van de vos lichtten raar op, alsof hij glimmende muntjes in zijn oogkassen had. Zijn oren rechtop, de witte staart laag bij de grond, als een besmuikte vlag, rillingen over zijn flanken. Een zenuwachtig wild beest. Hij vertrok de bovenste spier van zijn lange snuit – ze zag de zigzag van zijn glanzende tanden, de gevaarlijke grijns van een roofdier in het nauw. Het was prachtig!

En de stemmen in het kussen hielden aan en werden met elk herhaald woord luider: *mijn dubbelganger, mijn geheime ik, ons geheim verbond...* In haar dorre bed tilde Lilian haar twee handen op en hield ze naast elkaar, duim aan duim, en zag hoe overtuigend, hoe wonderbaarlijk ze een bijna identiek paar vormden.

Het opmerkelijkste was dat het nooit een wedloop tussen hen tweeën werd. Ze waren niet voorbestemd om rivalen te worden, of voorvechters van rivalen. Daar had Theodora in haar eerste briefje op gehamerd. Het briefje was ook een uitnodiging: hield Lilian van toneel en had ze zin om dinsdag met Theodora naar het Lyceum te gaan om mevrouw Patrick Campbell te zien als Lady Macbeth? Lilian had haar moeder beloofd die avond te komen eten, en ze kon haar toch niet teleurstellen? Maar dat deed ze wel, en haar moeder huilde. Er volgden meer van dergelijke teleurstellingen, meer wrevel en meer tranen: het was bijna alsof ze weer een kind verloor, zei haar moeder, eenzaam en alleen in huis achtergelaten nu die harteloze meneer Conrad haar ook 's avonds al opeiste, en wat een verspilling van haar jonge leven!

Het was zo gezellig met Theodora – ze was inderdaad als een zus voor haar. Op het meest huiveringwekkende moment van het toneelstuk, toen Lady Macbeth naar haar bebloede hand staarde en 'Weg, vervloekte vlek!' mompelde, sloeg Theodora haar arm om Lilian tegen de schrik, en ditmaal kuste ze haar echt, op haar linkerslaap, op haar wang, op haar kin en bijna, bijna op haar mond. En Theodora zat vol ideeën voor uitjes, sommige (in Lilians ogen althans) op het randje van gewaagd of zelfs regelrecht gevaarlijk. Het werd een van hun terugkerende plagerijen dat Theodora een durfal was en Lilian een angsthaas – al kwam het plagen eigenlijk alleen van Theodora's kant: dat Lilians schroom gespeeld was, dat zij eigenlijk de ware waaghals was. Ze was toch mee gaan schaatsen terwijl ze nog nooit van haar leven op schaatsen had gestaan? Toen Lilian op het ijs stond te wankelen was het of haar onwennige voeten niet meer bij haar lijf hoorden – de ijzers schoten alle kanten op en haar hart trilde woest in zijn onbekende holte – maar Theodora's reddende arm hield haar middel stevig omklemd en haar warme adem streelde als een veertje onder haar oor toen ze lachte: 'O dappere Lily, je gezicht ziet zo rood, je lijkt wel geschminkt!' Het was de eerste keer dat Theodora haar Lily had genoemd; ze had er niets van gezegd. Daarna volgde een uitstapje naar het New Forest, waar de paden schuilgingen onder verse sneeuw en waar loslopende paarden die aan niemand toebehoorden om de indringers heen drentelden, snuivend op zoek naar eten met hun enorme donkere smeulende neusgaten en het eigele

43

oogwit van hun imbeciel rollende ogen en hun reusachtige hersenloze hoofden, even dreigend als het machtige mechanisme van treinwielen waar je te dicht bij staat.

En Theodora kende delen van Londen, schimmige uithoeken waar Lilian zich nooit zou hebben gewaagd, kelderkroegen met een scherpe wierookgeur waar een bonte verzameling vreemden stond te redetwisten in onbehouwen accenten uit verre provincies, als heetgebakerde feestvierders op een onbegrijpelijke kermis. Soms verscheen die hele kermisstoet in Theodora's woning op de bovenste verdieping van een oude huurkazerne, met een daklicht en zwart behangen wanden waaraan vaalbruine schilderijen hingen die eruitzagen alsof ze in een waskuip waren gevallen en de verf was doorgelopen. Vrouwen met golvende sjaals, het strodunne steeltje van een wijnglas in de hand geklemd, gingen koppig alle schilderijen af: elk woest beklad doek schijnbaar een twistpunt dat moest worden beslecht. Maar uiteindelijk vertrokken al die angstaanjagende vrouwspersonen weer en zei Theodora: 'Er is nog zoveel heerlijke witte wijn over en jij hebt nog geen druppel gehad. Je bent toch niet grootgebracht met de blauwe knoop, Lil?'

'Moeder en ik dronken vroeger weleens een biertje met Warren, maar daarna niet meer. En als er geen dames in het gezelschap zijn geeft meneer Conrad de voorkeur aan... nou ja, andere drank.'

'Ik ga je geen whisky voeren, schat, dat is iets voor mannen, maar je moet echt wat wijn drinken. Eén glaasje voor je humeur, en twee voor het mijne.'

Lilian gehoorzaamde en dronk, met kleine, aarzelende slokjes. Door het dakraam scheen de maan, en de inktzwarte wanden met hun onthutsende doeken drukten tegen haar rug. Ze had het gevoel dat ze was weggelokt naar een afgelegen vuurtoren op een rots in een verraderlijke riviermonding.

Het was duidelijk dat Theodora al deze ongewone bijeenkomsten en avonturen had georganiseerd om haar te vermaken en op te porren, dat begreep ze wel – maar waarom?

'Als je Teddie tegen me zegt, vertel ik het je,' zei Theodora streng.

Lilian keek in haar glas – de wijn was een soort spiegel, een kelk vol ochtenddauw waar haar oog dromend in ronddreef, bleek als een lelie en onverwacht mooi, een kleine stille ronde vijver waarin het water lui wervelde en onnatuurlijk oplichtte als het oog van de vos.

'Teddie,' zei ze zwakjes, en ze liet zich weer door Theodora kussen, op die rare nieuwe manier van haar. Het beviel haar eigenlijk niet – het beviel haar helemaal niet – maar ze had een geheim kunstje, een verborgen hendel achter in haar hoofd die ze bijna naar believen kon overhalen zodra Theodora haar kuste met zo'n trage tastende ongeremde kus, en dan opende ze als het ware een luik naar een verboden kamer. Het was een gewaagde truc (alles wat met Theodora te maken had was gewaagd): zodra Lilian de geheime hendel in haar hoofd overhaalde, veranderde Theodora op slag in meneer Conrad. Af en toe schoot er ineens een kwaad kijkende, onwelkome verschijning met het gezicht van mevrouw Conrad uit de onderkant van haar tong omhoog en dan was Theodora weer Theodora, maar meestal wist ze Theodora's opdringerige mond geniepig om te toveren tot die van meneer Conrad – en kon ze bijna zijn raadselachtige voorouderlijke Poolse gefluister ontcijferen en de staalborstel van zijn snor voelen.

De glazen waren leeg, en ook in het dakraam gaapte een leegte waar eerder de maan had geschenen. Onder het zwarte gat van het daklicht glimlachte Theodora met die lach van haar die een voorbode van iets was. 'Je herinnert je vast wel,' zei ze, 'wat ik je opbiechtte op de middag dat we elkaar leerden kennen –'

'Toen je mij in je hinderlaag lokte,' zei Lilian.

'Ja, ja, brutaaltje, noem het hoe je wil. Ik heb dat allemaal uitgelegd, en je bent er toch ook blij mee? Nu zijn we vriendinnen, en zussen, en binnenkort kunnen we deelgenoot worden van een roemrijke daad. Het is alleen maar een kwestie van moed, streven naar moed, en zonder oefening geen aspiratie. Je weet toch nog wel,' ging Theodora door, 'hoe ik mezelf heb opgeleid om meneer James van dienst te kunnen zijn? Ik wilde de metgezel worden – metgezel, ja! – van de grootste schrijver van zijn tijd.'

Lilian zei vlak: 'Meneer Conrad is de grootste schrijver van zijn tijd.'

'Daar gaan wij geen ruzie over maken. Wij gaan helemaal geen ruzie maken. Ik mag volgens mij wel zeggen dat ik je dapperder heb gemaakt dan je was – als een drijvende lelie die ik naar onbekende wateren heb geduwd. Je hebt leren wennen aan het onverwachte – aan een zekere mate van schrik zelfs. Je bent als leerling toegelaten, onderwezen en op leertijd gestuurd. Ik ben blij dat ik je soms heb kunnen verbazen. Maar nu moet je nog moediger zijn dan ooit tevoren, willen wij ons succes kunnen behalen.'

'Naast meneer Conrad zitten en elke dag van mijn leven zijn stem horen is het enige succes dat ik ooit heb verlangd.'

'Er is meer, Lily. Zoveel meer.'

'Ik hoef niet meer dan wat ik heb.'

'Jawel, Lily, jawel. Je verdient ook meer.'

'Ik ben maar een amanuensis. Waarom zou ik meer verdienen?'

'Omdat,' zei Theodora, 'er nu al meer voor het grijpen ligt. We kunnen meer krijgen, als we het maar durven te pakken. Let op, ik heb het over "wij". Alleen samen kunnen we het bereiken. Wij zijn schering en inslag, jij en ik. Jij bent de lelie en ik ben het blad waarop je drijft.'

Lilian haalde diep adem; ze snakte naar lucht. Theodora vroeg haar... wat? Om een soort medeplichtige te worden, maar met welk ondoorgrondelijk doel? Haar hart ging weer net zo tekeer als op het ijs, maar toen was ze niet echt bang geweest, evenmin als in het theater (het was mevrouw Patrick Campbell maar, en een rood goedje), of toen de diepe neusgaten van de paarden hun stoomwolken uitbulkten, of in de schemering tussen de grafzerken in Wiltshire, of in die kelderkroegen... Alles waar Theodora haar mee naartoe had genomen was nieuw en verontrustend en op een zonderlinge manier prachtig, zelfs als het weerzinwekkend was (ze moest denken aan de vos en het romige donkere tandvlees dat ze boven zijn scherpe tanden had gezien); ze was nooit echt bang geweest. Nu was ze wel bang, nu Theodora haar hand pakte en omdraaide, steeds om en om zoals ze lang geleden in de theesalon ook had gedaan, alsof ze zo de angst kon wegdraaien.

'Ga maar na, Lily,' pleitte Theodora. 'Jij noemt jezelf "maar" een amanuensis. "Maar"! Dat "maar" bevalt me niet, laten we dat eens nader bekijken. Is er in het verleden ooit een amanuensis geweest die onsterfelijk werd? Die een onmiskenbaar stempel drukte op de nietsvermoedende toekomst? Die een onuitwisbare indruk heeft nagelaten?'

Lilian trok haar hand terug alsof Theodora hem in brand had gestoken. Ze sprong op. 'Wat is dit voor spelletje?' riep ze uit. 'Ik ben de secretaresse van meneer Conrad! Ik ben zijn secretaresse maar! Meneer Conrad is onsterfelijk. Zíjn visie, zíjn kracht! Waarom probeer je ons op één lijn te stellen, waarom bagatelliseer je alles?'

'Blijf toch zitten, mijn dwaze Lily. Je bent te ongeduldig – ik probeer je te betrekken bij iets wat heel diep gaat. Ik bagatelliseer niets. We hebben het over de komende generaties. Als jouw meneer Conrad nog steeds hoog in aanzien staat in, laten we zeggen, de eenentwintigste eeuw, dan geef ik toe dat hij onsterfelijk genoemd mag worden. En meneer James zeker. Maar zijn ze inwisselbaar, deze waarschijnlijk onsterfelijke auteurs? Je moet weten dat meneer James van mening is – ik hoop dat ik geen aanstoot geef – maar hij heeft me dat eens verteld – dat de romans van meneer Conrad soms iets weg hebben van een grote vormeloze pudding –'

'En ik van mijn kant,' bitste Lilian terug, 'heb meneer Conrad tegen meneer Wells horen zeggen dat de verhalen van meneer James niet beklijven, dat ze niet meer dan een lichtgevend spoor achterlaten –'

'Hou op! Het doet er niet toe. We gaan niet wedijveren – daar sta ik op.'

Lilian kwam weer tot bedaren. Theodora wilde haar echt niet op de kast jagen. Had ze haar niet, op haar plagende, lieve, zusterlijke manier, 'mijn dwaze Lily' genoemd? Liefdevolle spot. En trouwens, meneer James en meneer Conrad waren helemaal niet inwisselbaar, meneer Conrad was zo enorm veel beter. Wat meneer Conrad allemaal wist over de zee, en over de tweeslachtigheid van de menselijke ziel! Terwijl meneer James... nou ja, dat was een Amerikáán. Het was geen dreigement van Theodora – het was gewoon een van haar streken, een onschuldig spelletje, een gril, net zoiets als dat excentrieke speelse gezoen, of dat gênante moment in de schemering bij Stonehenge, toen Theodora haar gehandschoende handen voor haar gezicht had geslagen, haar vingers had gespreid en daar tussendoor had gegluurd alsof het kleine stenen pilaren waren, terwijl ze een zogenaamde druïdelitanie prevelde die vooral bestond uit een opeenvolging van waanzinnige diepe keelklanken – zodat Lilian haar geschrokken had aangestaard, tot Theodora's lach opborrelde en ze zich dom had gevoeld. 'Het komt door je moeder,' had Theodora haar vermaand. 'Die naargeestige moeder van je – ze heeft je aangestoken met haar gesomber. Ze laat je geen ruimte voor kattenkwaad. Ach, arme Lily, wanneer leer je eens spelen?'

Het was dus maar spel. Een verzetje. Angst? Wat viel er te vrezen? Maar het daklicht was even gitzwart als de muren, verstikkend: alsof ze verpletterd dreigden te worden onder de steenmassa van complete sterrenstelsels. En hier zat Theodora kletspraatjes op te hangen over een eeuwig leven voor die vergankelijke kasplantjes die dag in dag uit trouw achter hun Machine zaten te typen, typen, typen tot ze wederkeerden tot het stof der aarde...

'Denk maar na!' zei Theodora. 'Eeuwige roem voor iemand zoals wij! Wie?'

Om haar tegemoet te komen deed Lilian een uiterste poging. 'Boswell,' zei ze uiteindelijk.

'Boswell onsterfelijk? Als amanuensis? Geen sprake van! Een irritante hielenlikker. Het enige wat hij deed was overal achter Samuel Johnson aan lopen, of die daar nou van gediend was of niet.'

'Maar hij heeft wel opgeschreven wat Johnson allemaal zei –'

'Hij was niet gewenst. Johnson had hem niet uitgekozen. Een amanuensis moet uitverkoren zijn. Jij en ik, Lily, wij zijn uitverkoren. Nee, je zult iets beters moeten bedenken.'

Lilian slaakte een moedeloze zucht. Dit verzetje – deze afleiding (maar afleiding waarvan?) – beviel haar niet zo. Misschien was het waar dat ze net als haar moeder – net als meneer Conrad zelf! – was behept met een akelige aanhoudende somberheid. 'Mozes dan,' zei ze. 'Zijn tekst werd hem rechtstreeks door de auteur ingefluisterd. En hij was absoluut uitverkoren. Ziezo, klaar. Raadseltje opgelost.'

'Niet naar tevredenheid. Werkelijk, hoor,' schamperde Theodora, 'wat hebben jij en ik nou met Mozes te maken? Al die vervelende joodse wetten! Ik vraag het je, liefste Lily, waarom zouden we ons laten insnoeren door regels als alle genot daarbuiten ligt? Ik heb je iets dieps beloofd. De kans ligt voor het grijpen – en wij zullen de eersten zijn. Als jij de moed kunt vinden, zullen wij samen, afzonderlijk en toch innig verstrengeld, voor eeuwig voortleven. Voor eeuwig, Lily! De komende generaties zullen vóelen wat wij doen.'

Onder het daklicht, ondoorzichtig en onzichtbaar, en tussen de cryptische kleurvlekken op de muren, in het duister samengesmolten tot een rij in elkaar overlopende vegen (er stond slechts één lamp, in een verre hoek), gloeiden Theodora's ogen met een wilde, roodkoperen glans. Toen kwam Lilian tot het trieste, gruwelijke – o, gruwelijke – besef dat het helemaal geen spel was: ze werd meegesleept in een sinister plan van een gestoorde geest.

'Niemand,' zei ze (en tot haar verbazing hoorde ze de grimmige, rancuneuze wijsheid van haar moeder uit haar eigen keel komen), 'niemand heeft het eeuwige leven.'

Maar Theodora stiet weer die vrolijke, uitbundige lach uit. 'De Meester wel. En jouw meneer Conrad ongetwijfeld ook. En wij ook – als onbeduidende amanuenses. – Wacht Lily, waar ga je heen? We hadden afgesproken dat je zou blijven slapen –'

Lilian rukte zich los van Theodora. 'Ik ben al in geen weken bij moeder geweest,' riep ze – pure dwaasheid, het was twee uur 's nachts! – en snelde de trap af.

Theodora had Lilian afgeschrikt, maar Theodora was wel degelijk bij haar volle verstand. Ze was verre van gek; ze was buitengewoon geslepen. Haar plan was even vernuftig als eenvoudig. En het was een clandestien plan, bedoeld om voor altijd onopgemerkt te blijven – dat maakte het zo origineel. Het druiste dan ook in tegen een stelling die altijd als vanzelfsprekend wordt aangenomen: dat onsterfelijkheid samenhangt met – en vastligt in – een naam. Shakespeare is onsterfelijk, zeggen we; en Archimedes, omdat zijn bad overstroomde en hij zijn geknoei 'fysica' kon dopen. De piramiden schijnen hun vorm te danken aan Pythagoras en zijn hypotenusa. Shakespeare, Archimedes, Pythagoras en een hele reeks andere illustere namen (James en Conrad niet te vergeten) zijn misschien onsterfelijk in de gewone betekenis van het woord – maar Theodora's opvatting van eeuwige roem behelsde iets geraffineerders dan het voortleven van een eigennaam. Theodora streefde naar iets uitgesproken radicaals: zij wilde een naamloos feit de toekomst in sturen, zichtbaar en onzichtbaar tegelijk, glad en verwrongen, een onveranderbare verandering, geïntegreerd maar toch volledig wezensvreemd. En het moest geheim blijven. En ze kon het niet in haar eentje doen. Er was een deelgenoot voor nodig, een dubbelganger, een partner.

Maar nu was ze Lilian kwijt, en Lilian was onmisbaar voor haar plan. Hoe moest ze haar terugwinnen? Vier of vijf briefjes vol berouw en getekende zonnebloemen (nagetekend van een van die knoeierige buitenlandse schilders waar ze zo'n onbegrijpelijk zwak voor had) bleven onbeantwoord. Het duurde een maand voordat Lilian terugschreef. Haar toon was koeltjes. Ze werd zeer in beslag genomen door haar werkzaamheden voor meneer Conrad, legde ze uit. Haar moeder was weer weggezonken in neerslachtigheid, zodat Lilian bijna iedere avond bij haar langs moest. En mevrouw Conrad was de laatste tijd bijzonder onvriendelijk. 'Hopelijk begrijp je,' besloot ze haar brief, 'dat deze groeiende moeilijkheden mij beletten verdere afspraken te maken, afspraken die me uit hun aard al afhouden van mijn verplichtingen en verantwoordelijkheden.'

Theodora liet zich niet uit het veld slaan.

Mijn beste Lilian [schreef ze],

Van de 'moeilijkheden' waar je naar verwijst, drukt de verhouding met mevrouw Conrad ongetwijfeld het zwaarst op je. Ik denk dat ik zelfs op afstand wel kan aanvoelen wat je daar te verduren hebt. Wanneer een groot man een echtgenote heeft – en in tegenstelling tot meneer James is meneer Conrad dubbel en dwars getrouwd! – zal zo'n echtgenote maar al te vaak in de waan verkeren dat ze, louter op grond van hun huwelijkse nabijheid, inzicht heeft in het hart van zijn genie. Maar hoe kan dat? Schandelijke hoogmoed! Alleen jij, het ware werktuig van de kunstenaar, die als enige brein de eerste uitstorting van zijn scheppende geest ontvangt, kunt daarop bogen. Er kan een dag komen – het staat wel vast dat die dag zal komen – waarop de hooghartige echtgenote publiekelijk aanspraak maakt op al jouw kennis, op al je inzicht, het werk dat jíj hebt doorleefd; dat zij beweert te zien en voelen wat alleen jij hebt gezien en gevoeld. Die machtsgreep kan allerlei gedaanten aannemen. Kletspraatjes tegen toekomstige biografen wellicht, of brieven vol borstklopperij (ongetwijfeld draait ze meneer Pinker nu al een rad voor ogen), en wellicht zelfs, God verhoede, snoeverige memoires van haar eigen onkundige hand.

Nee Lily, dit mag zo niet doorgaan. Je moet voorkomen dat je zo wordt verzwolgen – het kan een smet vormen op meneer Conrads kunst. Je spreekt terecht van verplichtingen en verantwoordelijkheden. Dít moet je grootste verplichting en verantwoordelijkheid zijn. Kom terug, Lily! Samen zullen we deze echtelijke plundering een halt toeroepen!

Het antwoord kwam snel:

Dan moet je me iets beloven: dat je geen onzinnige verhalen meer afsteekt over een leven na de dood. Ik ben net als meneer Conrad van mening dat we tragische schepselen zijn, gedoemd om tot stof weder te keren. Daarom is zijn ambitie ook zo zuiver (het is de ambitie die voortkomt uit onze sterfelijkheid) en die van mevrouw Conrad onzuiver: bij haar is het, zoals je zegt, de drang om zich iets toe te eigenen, om te branden met een gestolen vuur. – En ten tweede, maar daarom niet minder belangrijk: dat je je voortaan onthoudt van buitenissige handtastelijkheden. Als je je daaraan houdt, ben ik bereid onze omgang te hervatten.

Eenvoudig, o zo eenvoudig! Theodora had haar teruggewonnen – haar verleid, in feite, met het lokaas van de jaloezie, de laagste aller hartstochten. Lilian was nu bereid om samen te werken, concludeerde Theodora – op voorwaarde slechts dat hun verhouding op andere voet werd voortgezet. Wat was dat eenvoudig! Kan de zoete vrucht van het eeuwige leven Lilian niet verleiden? Geeft niets: dan wordt ze wel verleid door de bittere hoop haar kwelduivel dwars te zitten. Versmaadt Lilian haar kussen? O, maar elders vindt Theodora al zoveel meer genot, en ditmaal niet gehinderd door de afkerigheid van de ander!

In de weken waarin Lilian niets van zich had laten horen, had Henry James weer een ander vooraanstaand letterkundige op bezoek gehad: Leslie Stephen, vergezeld door de jongste van zijn twee dochters. Zij was gekomen om de Meester haar complimenten te maken, en hij had haar allercharmantst welkom geheten: deels uit achting voor haar geduchte vader, een strenge gestalte met een baard en de kromme rug van de bijziende geleerde – maar ook omdat ze zelf enige aandacht begon te trekken. Op haar achtentwintigste had ze al naam gemaakt als een volleerd criticus. De oplettende Theodora, die achter de Machine de papieren zat op te ruimen, had vooral oog voor juffrouw Stephen. Die was ongedurig en nerveus en leek zich te ergeren aan haar vader, die hun gastheer overspoelde met een egocentrische woordenstroom. Het was bekend dat juffrouw Stephen een venijnig gevoel voor humor had en dat ze deel uitmaakte van een beruchte kring van jonge schrijvers en kunstenaars, allemaal socialisten en vrijdenkers, van wie Theodora er weleens enkele was tegengekomen in die halfdonkere, rumoerige, alternatieve kelders. Van juffrouw Stephen zelf werd gezegd dat ze zwaarmoedig was en de neiging had om zich terug te trekken. Zelfs hier, in dit ruime en aangename vertrek, hield ze afstand van haar vader en slenterde lusteloos van de open haard naar het raam – om een onverschillige blik te werpen op het dak van de Turkse ambassade – en terug naar het haardvuur. Haar ontroostbaar kijkende ogen waren rond en grijs en kritisch, om haar blote hals had ze geen sieraden en haar haar droeg ze in een zacht gemodelleerde wrong (een chignon die evenzeer verschilde van Lilians wankele, rafelende knot als een croissant van een appelbol), zodat ze en profil veel weg had van een dromerige Afrodite. Een opwelling van genotzucht trok Theodora's blik naar dat delicate silhouet van voorhoofd, neus en kin, maar de aantrekkingskracht van juffrouw Stephen was gereserveerd en onuitgesproken.

Diezelfde avond (Theodora kwam dat pas veel later te weten) schreef juffrouw Stephen in haar dagboek: 'Arme meneer James vandaag levend opgegeten door vader, die hem de oren van het hoofd oreerde en duidelijk niet het gewenste standpunt over Conrad verkondigde. Juffrouw Bosanquet vrij knap, een overijverig matroosje in witte bloes en blauwe rok met riem. Niet merkbaar onderdanig voor een loyale amanuensis. Saffisch, durf ik te wedden.'

Eenvoudig, o zo eenvoudig. Al snel taalde Theodora niet meer naar Lilians verboden lippen. Ze had de lippen van juffrouw Stephen. En toen juffrouw Stephen zich verloofde, nota bene met een straatarme jood, had ze die nog steeds.

Lilian was veilig. Ze vóelde zich veilig. Ze had Theodora verlaten en was teruggekeerd – dat betekende dat zij aan het langste eind trok. Ze had Theodora gewaarschuwd en Theodora had toegegeven. Geen liefkozingen meer, geen omhelzingen, geen ongewenste zoenen. Vooral die zoenen zaten haar dwars: ze riepen huiveringwekkende hallucinaties op, verboden verlangens met aan de rand van het blikveld altijd de dreigende verwijtende toornige geestverschijning van een smalende Jessie Conrad. Een opluchting om daarvan verlost te zijn. En heel merkwaardig: al moest Theodora zich nu onthouden van die liefkozingen, ze bleef even blijmoedig als altijd, ze lachte zelfs nog meer. Niet alleen het zoenen was nu verleden tijd, ook dat dwaze gepraat over onsterfelijkheid, wat Theodora er ook precies mee mocht hebben bedoeld – in ieder geval niet iets met een hemel en engelen.

Maar het plan zou precies zo worden uitgevoerd als aanvankelijk bedacht. Alleen moesten ze het nu van Lilians kant bekijken. 'Ik ben veel te zelfzuchtig geweest,' zei Theodora. 'Daar heb je me terecht voor berispt, Lilian. Ik stond er helemaal niet bij stil wat jij te verduren hebt –'

'Met moeder heb ik niet zoveel problemen,' zei Lilian vergoelijkend.

'De rancune van je moeder is een kleinigheid. Die van mevrouw Conrad is formidabel. Ze behandelt je als een meubelstuk. Misschien zelfs als een voetveeg.'

'Ze haat me,' zei Lilian.

'Dan zul jij uiteindelijk zegevieren.'

'Uiteindelijk?'

'Als ons doel is bereikt.'

Lilian naar de mond praten begon vervelend te worden. Theodora was ongedurig: wanneer kwam hun doel nu eindelijk in zicht? Ze zag hun schitterende taak al voor zich. Ze popelde om hem uit te voeren, en al had ze om haar onmisbare medeplichtige te behagen de missie van een ander jasje voorzien, toch moest ze aan Lilian blijven trekken en trekken, haar continu vleien. Moeilijk om haar aandacht erbij te houden: diep van binnen duizelde ze, was ze met haar gedachten bij juffrouw Stephen, die haar al Teddie noemde, terwijl Teddie haar... Maar ondertussen zat Lilian te bedenken dat Theodora haar niet langer Lily noemde, al was haar die oude vertrouwde koosnaam nog wel een of tweemaal ontglipt, verhaspeld of half ingeslikt, zodat Lilian bijna iets meende te horen – het kon haast niet – dat klonk als... was het Ginny? Of toch gewoon Lilly? Of zei ze echt Ginny? Of misschien – maar natuurlijk, dat moest het geweest zijn: Genève.

'Die keer in het hotel,' begon Lilian, 'in Genève, toen meneer Conrad weer last had van zijn jicht –'

Theodora staarde haar aan. Een rode gloed kroop stiekem omhoog in haar hals. De droom is de vader van het woord: lieve hemel, had ze juffrouw Stephens naam werkelijk hardop gezegd? Nee, niet precies haar echte naam...

'Je weet toch nog wel, toen hij zo worstelde met zijn verhaal over anarchisten, een jaar of drie geleden, en mevrouw Conrad per se met de kinderen naar het buitenland moest, waar de kleinste kinkhoest kreeg, en Borys koorts vatte –'

'Genève, ja,' beaamde Theodora, en ze maakte het bovenste knoopje van haar blouse open – bloedheet of niet, ze moest zich nu herpakken – 'daar heb je het vaak over. Wat was mevrouw Conrad dom bezig.'

'Een lastpak! Dag en nacht in de weer met die twee zieke kinderen, zodat hij zich niet kon concentreren, met geen mogelijkheid kon werken –'

Dit was dus het moment.

'En dat is nou precies,' triomfeerde Theodora, 'waarom wij haar dringend moeten verslaan. We gaan haar verslaan, Lilian.' En eindelijk zette ze haar plan uiteen.

Theodora's complot.

Complot? Moet kunst worden weggezet als een samenzwering? De wens om de gegeven natuur te veranderen is de bron van alle schepping. Zelfs God, geconfronteerd met *tohoe vavohoe*, vormeloze chaos, woestenij en ledigheid, meende er goed aan te doen licht en duisternis te scheiden, dag en nacht: naadloos verbonden tegendelen. Of kijk naar de mozaïekmaker die met eindeloos geduld het ene steentje naast het andere legt in een schitterend patroon van ongedroomde vormen: moet hij dan, omdat de oorspronkelijke rangschikking van de steentjes is verstoord, worden verfoeid als een schenner van de natuurlijke orde? Als Theodora's plan zondig is, laat dan ook Michelangelo zich schamen: hij laat God de vinger van Adam aanraken. De paring van ongelijke grootheden, dat is de schok van de schoonheid. En schoonheid is, zoals Theodora weet, voor de eeuwigheid.

'Eerst,' begon ze, 'moet je me precies vertellen hoe meneer Conrad elke dag te werk gaat.'

'Hij dicteert, ik typ,' zei Lilian.

'Natuurlijk. En wanneer leg je hem het voltooide typoscript voor?'

'Nooit meteen. Onze zittingen kunnen heel lang duren. Soms raast meneer Conrad door, dan steekt hij een hand omhoog alsof hij een lastig woord uit de lucht wil plukken. En soms – nou ja, het komt weleens voor dat hij een Engelse uitdrukking verkeerd gebruikt. Wat ik dan, moet ik bekennen, stilzwijgend corrigeer. Vaak moet ik het werk van één dag nog enkele malen opnieuw uittypen voor ik een persklare tekst heb.'

'Ik heb dezelfde ervaring met meneer James. Behalve dat ik meneer James nooit hoef te corrigeren.'

'Meneer James is niet in Polen geboren.'

'Maar wel in Amerika, dus het is des te opmerkelijker dat hij zo thuis is in de Engelse taal. Je denkt dus dat je het vertrouwen van meneer Conrad geniet?'

'Volstrekt. Absoluut. Daar ben ik zeker van. Alleen mevrouw Conrad –'

'Uitstekend,' onderbrak Theodora haar. 'Dit is wat je moet doen, Lilian. Ik ga je een passage geven – laten we zeggen een paar zinnen, of een alinea of twee – dat moeten we nog maar zien. Die kies ik uit een bijzonder verhaal waar meneer James momenteel aan werkt, een soort spookverhaal over een dubbelganger, een man die tot zijn afgrijzen merkt dat een alter ego zijn wereld binnendringt –'

Maar Lilian riep ontsteld: 'Waarom zou je me zoiets geven?'

'Je moet goed opletten, anders raak je de draad kwijt. Wat ik voorstel is niet bijzonder ingewikkeld, maar het vereist geduld en overzicht. We kunnen ons geen fout veroorloven, we moeten zorgvuldig te werk gaan. Zoals ik al zei, jij krijgt van mij een passage van meneer James – een voortreffelijke passage, dat verzeker ik je – en in ruil daarvoor krijg ik een frappant fragmentje uit het verhaal waar meneer Conrad momenteel aan werkt.'

'Wat is dit voor onzin, Theodora? Waarom steek je de draak –'

'Het verhaal van meneer James heet "The Jolly Corner". Hoe heet het verhaal van meneer Conrad?'

'Hij heeft uiteindelijk gekozen voor "The Secret Sharer", en het lijkt vrij lang te worden, maar geen roman. Eerder een lang verhaal, een verbijsterend verhaal, ook over een dubbelganger, wat een toeval! – maar wat heeft het een met het ander te maken?'

'Alles, als wij klaar zijn. En als je zorgvuldig te werk gaat, levert het je alles op wat je verlangt. Laat me alsjeblieft uitspreken. Als wij de passages hebben uitgewisseld, breng jij in de eindversie van meneer Conrad op een passende plek het fragment van meneer James in, en ik schuif de passage van meneer Conrad in een geschikte opening in het manuscript van meneer James. Begrijp je het nu?'

'Of ik het begrijp? Wát moet ik begrijpen? Een bende, een janboel! Wat heb je nou aan zulke malle streken? Alles wat ik hem geef, leest meneer Conrad heel grondig door, en de eindversie die naar de drukker gaat nog het allergrondigst. Elk vreemd element, welke bedoeling er ook achter zit, merkt hij onmiddellijk op en zal hij zeker schrappen –'

'Hij zal niets opmerken. Hij zal niets schrappen. Hij zal het niet als vreemd herkennen. En meneer James ook niet.'

'Zou meneer Conrad niet horen waar zijn eigen stem klinkt en waar niet? Hoe kun je zoiets zeggen? Waarom zou hij zo'n bizarre inbreuk over het hoofd zien?'

'Omdat hij er niet op bedacht is, geen vreemde elementen in zijn verhaal verwacht. Zo simpel is het – en bovendien is er iets wat nog zwaarder weegt: de eigenwaan van de kunstenaar. Hoe groter zijn kunst, des te groter zijn eigenwaan – en de pretenties van zijn eigenwaan. Meneer Conrad zal het lezen – zal het bewonderen – zal zich vergapen aan wat hijzelf meent te hebben gewrocht – en zal zichzelf gelukwensen! Inwendig, zoals een kunstenaar doet als hij zijn eigen

59

werk in ogenschouw neemt. En het zal daar blijven zitten, dat wat jij een vreemd element noemt, niet langer vreemd maar erin opgegaan, opgenomen, naadloos verwerkt – een ontvreemde diamant die voor eeuwig zal blijven fonkelen en die jij en ik, Lilian, erin hebben gezet!'

Theodora sprak vol vuur, alsof ze op de bühne stond. Haar koortsachtige blik, haar schaamteloos opengeknoopte blouse, haar onbeteugelde geestdrift: Lilian vond het angstaanjagender dan mevrouw Patrick Campbell die Lady Macbeth speelde – maar Theodora speelde ook geen toneel.

Op de vlakke klaagtoon van haar moeder vroeg Lilian: 'En jij wilt meneer James ook bedotten?'

'Volstrekt niet. Geloof in jezelf is geen bedrog. Dat is hoe de kunstenaar de werkelijkheid tot zich neemt en omsmeedt, en wie heeft die creatieve roes van dichterbij gadegeslagen dan wij?'

'Toch komt het neer op bedrog. Waarom denk je dat ik me daarvoor zou willen lenen?'

'Omdat je het zou kúnnen. Het zou jouw triomf zijn. Zie je dat dan niet, Lilian? Mevrouw Conrad plaatst zichzelf op een voetstuk – hoe vaak heb ik je daar niet over horen klagen?'

'Ik klaag alleen dat ze aanmatigend is.'

'Precies. Zo aanmatigend om te denken dat ze aanspraak kan maken op de vruchten van zijn geest, dat ze zijn diepste zielenroerselen doorgrondt, dat zij – een echtgenote! – in elk woord woont. En waarom? Omdat ze in zijn bed slaapt. In zijn bed, in de vergetelheid van de nacht! – terwijl jij in het volle daglicht de geringste trillingen van zijn gemoed indrinkt. Wat zal mevrouw Conrad ooit weten van die ontvreemde diamant? Zolang je leeft, zul je dit geheim bezitten. Wat doet het er dan nog toe als zij je kleineert? Jij hebt het verborgen bewijs dat zij erbuiten staat. Buiten! Geen macht die zo ver reikt als de macht van geheime kennis, toch? Een triomf, Lilian – zie hem, en grijp hem!'

Lilian zweeg. Toen prevelde ze 'Oh'. En nog een keer, als een pasgeborene die voor het eerst van haar leven echte lucht inademt: 'Oh.'

Eenvoudig, o zo eenvoudig! Lilian was tevredengesteld, ze was voldaan, ze was verleid, ze was gestrikt – ze was verkocht. Theodora besefte terdege dat ze juffrouw Stephen... Ginny... nooit zo makkelijk had kunnen overhalen. Juffrouw Stephen was niet zo plooibaar. Juffrouw Stephen was spotziek – zij was niemands medeplichtige, ze ging haar eigen weg. Soms, zei ze, kon ze de vogels in het Grieks horen zingen.

En zo volgden ze Theodora's route, met al zijn kronkels en zijpaadjes.

'Wat een geluk,' zei ze tegen Lilian, 'dat we al zo ver zijn gevorderd nog voor we goed en wel zijn begonnen. We hadden ons geen betere positie kunnen wensen. Dit beeld van een vreemd en bedreigend alter ego – dat twee zulke grote geesten precies op hetzelfde idee komen!'

'Maar meneer Conrad schrijft een verhaal over het zeemansleven,' sputterde Lilian.

'Daarom moet je vergezichten mijden – we mogen niet toestaan dat de salonbewoners van meneer James op stap gaan in de waterwereld van meneer Conrad. Hetzelfde geldt voor de interieurs: daarin mag zich geen tegenspraak voordoen, geen schoorsteenmantel naast de mast. Ook namen en dialoog moeten worden vermeden –'

'Als we dat allemaal moeten weglaten,' wierp Lilian tegen, 'wat blijft er dan nog over?'

De ergernis van een slome bondgenoot. Wat had het allemaal voor nut als het resultaat straks tekortschoot in vernuft, in schoonheid?

'Het hart, de longen, het bloed en de hersenen!' barstte Theodora uit. 'Wat wij zoeken zijn die meedogenloze inzichten, die pakkende beschrijvingen van psychische huiver die door merg en been gaan. Pak een treffende, betekeniszwangere frase beet, streel zijn boom der schepping tot hij zich opricht –'

Theodora stokte. Ze keek Lilian strak aan: angstige dorre celibataire Lilian. Hoe haar tot roekeloosheid aan te sporen, naar de lonkende opening van het labyrint te voeren? Hoe zwengelde je haar verbeelding aan? Ze had haar zover gekregen dat ze het doel onderschreef. Nu moest ze de sprong nog leren wagen.

'Lilian,' waagde Theodora, 'ik smeek je: knijp tot het zaad eruit spuit!'

Lilian verblikte noch verbloosde. 'Toen ze het lichaam van Warren aan ons lieten zien, aan moeder en mij,' zei ze, 'was ik degene die zag dat, hoewel de kogel door het hoofd was gegaan, hij ook dát effect had gehad. Die aanblik heb ik nooit kunnen vergeten.'

Theodora voelde zich terechtgewezen. 'Dan kun je onze onderneming ook aan.'

En toch stuitten ze in hun wandeltocht nog op hekken en doornstruiken: de keuze van het juiste moment bijvoorbeeld, dat niet te voorspellen viel en buiten hun macht lag. Gelijktijdigheid was cruciaal. Het was geen wedstrijd, en al was het dat geweest, dan nog was het niet waarschijnlijk dat twee zulke eminente grootmeesters de eindstreep gelijktijdig zouden halen. Nu en dan moest ofwel Theodora of Lilian wat tijd winnen, en eenmaal ontving de heer Pinker binnen een bestek van enkele dagen twee briefjes die melding maakten van een onverwacht en vervelend oponthoud:

Beste Pinker,

Klein oponthoud, maar je krijgt de beloofde lading pagina's binnenkort. Juffrouw Hallowes deelde me helaas mede dat de kwaliteit van haar lint de onleesbaarheid nadert. Er ligt een vers lint op haar te wachten bij de kantoorboekhandel. Ondertussen liggen mij diverse verwensingen op de lippen bestorven –

Uw dw.,

J. Conrad

Mijn beste Pinker,

Om je bezorgdheid te sussen met een kleine ontboezeming: juffrouw Bosanquet is zich maar al te zeer bewust van de noden van de firma Scribner *et al.* Ik verlaat me geheel en al op haar eigen bewonderenswaardige ongeduld – ze verzekert me dat ze haast maakt, dat ze zich rept!

Hoogachtend,

Henry James

Niettemin breekt het illustere moment aan, en wel op een doodgewone donderdagmiddag aan het eind van de winter in 1910. Het barst los met de wonderbaarlijke en toch volstrekt natuurlijke gelijktijdigheid van bloemblaadjes in een bloemperk die zich allemaal tegelijk ontvouwen. Of (zo ziet Theodora het voor zich) zoals een vaardige en vernuftige meubelmaker een wig van secuur geschuurd hout in een op maat gemaakte gleuf past en de twee stukken naadloos met elkaar verbindt. Groef in messing! – perfect gepolijste pasvorm. Of (zoals Lilian, nog steeds aarzelend maar ook verrukt, het voor zich ziet): als twee vogels die van nest ruilen, geruisloos, behoedzaam, en toch allebei onmiddellijk op hun gemak.

In het Londense verblijf van Henry James vloeit een klein, fonkelend fragment uit 'The Secret Sharer' als voorbestemd in de nietsvermoedende aderen van 'The Jolly Corner', en in de werkkamer van Joseph Conrad in een huisje in Kent stromen de hete levenssappen van 'The Jolly Corner' ongehinderd door een spleet in 'The Secret Sharer', die daarmee wordt gedicht. Geen naad meer zichtbaar, geen haarscheur te bekennen; onder het oppervlak – op submicroscopisch niveau, zogezegd – brengt de chemische verbinding geen verstoringen teweeg, de moleculen versmelten sereen. En ondertussen blijft mevrouw Conrad snuiven en fronsen op die ontspannen momenten waarop haar man en zijn amanuensis samen zitten te roken – maar Lilian krimpt niet ineen onder haar blik, integendeel, ze gloeit. En Theodora? – ach, die kan zich voor de recente breuk met de wispelturige juffrouw Stephens troosten met de gedachte dat ze uiteindelijk meer heeft bemachtigd dan een vluchtige kus.

Wat heeft Theodora bemachtigd? Precies dat glansrijke visioen dat ze had: twee amanuenses, twee verwaarloosbare voetnoten waar zelfs de ijverigste geleerde geen aandacht aan schenkt, die tot in de verre toekomst onbezongen blijven, laten een onuitwisbaar spoor na – een teken voor de eeuwigheid, een teken dat ze hebben geleefd, gevoeld, gehandeld! Een onsterfelijkheid die zich kan meten met de blijvende aanwezigheid van de zeldzame pieken en kraters veroorzaakt door de betekenisloze inslag van een meteoriet. Maar pieken en kraters zijn het werk van de onverschillige natuur, terwijl Theodora en Lilian als mens, bij hun volle verstand, met nauwkeurige doelgerichtheid, het resultaat van hun verlangens bepalen. Lilian koestert welbewust haar hoopvolle kwetsbare wrok. Theodora beslist dat haar vingerafdruk, zonder dat iemand het weet, voor eeuwig in het werk zal zijn geëtst, even tastbaar en zichtbaar als piek en krater. En zo is het en zo zal het zijn.

Wat James en Conrad betreft: ze verschillen zowel literair als emotioneel te zeer van karakter om het vroege vuur van hun lange vriendschap brandend te houden. Maar ook al is dat bekoeld, ze zijn buiten hun medeweten voor eeuwig met elkaar verbonden: zwart op wit, in elke nieuwe editie, zonder dat een biograaf het tot nu toe heeft bespeurd.

Het meest opmerkelijk van alles is echter dat juffrouw Bosanquet en juffrouw Hallowes na het inbrengen van de wisselkinderen nooit meer een woord met elkaar hebben gesproken, en elkaar zelfs niet meer hebben gezien. Waarschijnlijk zullen latere generaties, onnozel als altijd, veronderstellen dat ze elkaar in het geheel nooit hebben ontmoet. En eerlijk gezegd zullen latere generaties over geen van beiden ook maar iets bijzonders te melden hebben, aangezien er niets van belang is vastgelegd.

Noot   *Tot die historische feiten waaraan de verbeelding lak heeft, behoren de regels van herensociëteiten, en de dood. Lag Leslie Stephen al tien jaar in het graf voordat hij hier zijn opwachting maakte, en mochten vrouwen geen voet zetten in de Londense Reform Club? Wat maakt het uit, zegt de Fictie; wat een mop, lacht de Ondeugd; wat dan nog, smaalt de Droom.*

Acteurs

Matt Sorley, geboren Mose Sadacca, was acteur. Hij was een karakterspeler en (als ze hem de kans gaven) komiek. Hij had bolle, donkerkleurige, plooibare wangen, rossige krullen waar diepe inhammen steeds meer terrein op wonnen en hagelwitte tanden zo groot en regelmatig als pianotoetsen. Zijn artiestennaam klonk vagelijk Iers maar hij was van Sefardische afkomst. Zijn ene grootvader kwam uit Constantinopel, de andere uit Alexandrië. Zijn ouders kenden nog enkele woorden van het oude Spaans dat de voor de Inquisitie gevluchte joden spraken, maar Matt zelf, grootgebracht in Bensonhurst in Brooklyn, was een rasechte New Yorker. Het Brooklyn-accent dat van zijn woorden afdroop was nuttig. Het leverde rollen op.

Soms werd hij op straat herkend, als hij weer eens op tv was geweest in een aflevering van de advocatenserie waarvoor hij af en toe werd opgeroepen. Dat waren serieuze rollen, meestal bestaande uit een enkel shot van een doorleefd gezicht. Het was werken onder hoogspanning. Grappen en grollen waren uit den boze, zelfs tijdens de repetities. Matt speelde meestal de rechter (drie minuten in beeld) of anders de vader van het moordslachtoffer (zeven minuten). De mooie hoofdrollen gingen naar veel jongere mannen met een weelderige zwarte haardos en een strakke buik. Als die in de rechtszaal opstonden om het woord te nemen, knoopten ze netjes hun jasje dicht. Matt kreeg zijn colbert niet meer zo gemakkelijk dichtgeknoopt. Hij liep tegen de zestig en was heimelijk zwaarmoedig. Hij woonde in de Upper West Side in een woning met een beschermde huurprijs en een chronisch lekkende afvoer in de wc. Hij had de reputatie dat hij met regisseurs in discussie ging. Eén regisseur had de – hatelijke – gewoonte hem aan te spreken als meneer Kribbig.

Zijn appartement was bezaaid met woordenboeken, compendia van spreekwoorden, Bargoens en wetenschappelijke terminologie, naslagwerken over plantkunde, mythologie en geschiedenis. Frances was degene met het vaste inkomen. Ze werkte voor een puzzeltijdschrift en moest elke vrijdag drie kruiswoordpuzzels inleveren met een oplopende moeilijkheidsgraad. Het werk hield haar aan huis gekluisterd en dreef haar tot razernij. Ze kon slecht tegen deadlines en stress; ze was bijziend en haar ogen raakten snel vermoeid. Ze had een lange, dunne, vorstelijke hals waarin je aan de zijkant haar nerveuze hart zag kloppen. Bijna twintig jaar geleden, toen ze net uit Tulsa kwam, had Matt haar leren kennen in een voorstelling in zo'n keldertheatertje in de Village – het piepkleine podium weinig meer dan de vrijgemaakte ruimte in een kring stoelen. Het was een revuestuk met ballades en komische liedjes en Matt en Frances hadden geen van beiden een geweldige stem. Dit gedeelde gebrek deed dienst als romantiek. In het smoezelige cafeetje naast het theater dronken ze na afloop koffie en legden elkaars tekortkomingen uitgebreid onder de loep. Door gebrek aan publiek kwam er al na twee weken een eind aan de show en op de ochtend na de laatste voorstelling liepen Matt en Frances naar het gemeentehuis om te trouwen.

Frances had daarna nooit meer voor publiek gezongen. Matt deed het een enkele keer nog wel, om de zaal aan het lachen te maken. Bij een optreden in die kelders in de Village had Frances haar zenuwen nog onder controle, maar in alle theaters ten noorden van Aston Place begon ze te hakkelen, werden ijzige naalden in haar borsten gedreven en vergat ze haar tekst. Terwijl haar hersenen toch niets anders deden dan informatie opslaan: ze kende woorden als fenegriek en karavanserai, engerling en gibberelline. Ze was boos dat ze opgesloten zat tussen zulke woorden. Ze leidde een leven achter tralies, zei ze; ze zat gevangen in de vierkantjes. De hele dag vulde ze letters in, jongleerde met het alfabet, bedacht raadselachtige omschrijvingen en maakte de ongebruikte hokjes zwart. 'Vakkenvuller,' mompelde ze bitter, terwijl Matt zich ontfermde over huishoudelijke taken – melk kopen, zijn overhemden ophalen bij de stomerij, zijn schoenen laten verzolen. Frances was voorgoed gestopt met acteren. Ze vond het niet prettig om zich zo bloot te geven, de zenuwen, dat trillen, de naalden in haar tepels, de verlamming in haar strot, de kramp in haar buik. Bovendien schaamde ze zich voor haar bijziendheid en had ze een hekel aan de contactlenzen die ze bij voorstellingen moest indoen. Die gooide ze uiteindelijk ook weg. Buiten het podium, zonder publiek, kon ze rustig haar grote ronde uilenbril dragen.

Het zat Frances dwars dat zij over het algemeen de kostwinner was. Na vier miskramen beweerde ze dat ze blij was om geen kinderen te hebben, dat ze zich Matt ook niet als vader kon voorstellen – hij had geen fut, geen pit. Hij achtte het beneden zijn stand om naar werk te zoeken. Hij vond dat het werk naar hem toe moest komen omdat hij een kunstenaar was. Hij beschouwde zichzelf als een meester in een chaplinesk ambacht, telg van een achtenswaardige traditie. Hij had een hekel aan rekwisieten en keek neer op acteurs die sigaretten gebruikten om door een moeilijke scène te komen, die halverwege een zin een sigaret opstaken. Dat was kunstmatige spanning, banaal. Matt was een purist. Hij haalde zijn neus op voor gedetailleerde realistische decors, kamers die eruitzagen als echte kamers. Hij vond dat een stem, een handpalm, een aarzeling, een opgetrokken neusvleugel genoeg waren om een podium te vullen. Frances spoorde Matt aan om rollen te zoeken, te netwerken, zijn agent achter de vodden te zitten, naar audities te gaan. Maar dat kon Matt allemaal niet. Hij was verdomme acteur, zei hij, geen straatventer.

Het was niet duidelijk of hij de hele tijd toneelspeelde (Frances maakte hem graag dat verwijt), maar zelfs zoiets als boodschappen doen deed hij overdreven en al te nadrukkelijk: met een onvoorspelbaarheid die zichzelf luidkeels aankondigde. Altijd dollen met de winkelbedienden. De jonge Mexicaan die bij de Koreaanse groenteboer paprika's en grapefruits stond uit te pakken, riep naar hem: 'Hé Mott, hebbie nou 'n film?' Hoe goedbedoeld ook, die vraag deed pijn. Zijn laatste filmaanbod lag al vier jaar achter hem, een rolletje naast Marlon Brando, die hij tomeloos – en zonder afgunst – bewonderde. Die rol had Matt en Frances allebei een gewatteerde winterjas opgeleverd, plus een koelkast met een ijsklontjesautomaat. Maar waar Matt eigenlijk op hoopte was een rol in een toneelstuk. Hij wilde het podium weer op.

Bij de hakkenbar lagen zijn nieuwe zolen al te wachten. De eigenaar, een oudere Napolitaan, had onder op Matts versleten instappers *Attore* geschreven. Hij kwam weer met zijn gebruikelijke tirade: Matt moest opera doen. 'Daar bak ik toch niks van,' zei Matt zoals altijd en hij ontblootte zijn grote, regelmatige gebit. Boven het gejank van de borstelmachine uit begon hij 'La donna è mobile' te zingen. De schoenmaker zette het apparaat uit en zakte een beetje door de knieën en klapte in zijn handen en er sijpelden tranen door de accordeonplooien die uitwaaierden van zijn ooghoeken. Zijn vriend Salvatore had iets van de sprookjesachtig kromme gestalte van Geppetto, de vader van Pinokkio, dacht Matt. Het

bewoog hem ertoe zijn broekspijpen op te rollen en de horlepiep te dansen terwijl hij luidkeels bleef zingen. Salvatore
hikte en bulderde en snikte van het lachen.

Soms wipte Matt er alleen even binnen om zijn schoenen
te laten poetsen. De schoenmaker wilde nooit dat hij daarvoor betaalde. Matt zei dan listig tegen Frances (een vreselijke leugen, waarvoor hij zich schaamde) dat hij de stad in
moest voor een auditie, en was het geen goed idee om dan
eerst even zijn schoenen te laten poetsen? Zodat hij in ieder
geval een goede indruk maakte voor een volgende keer, zelfs
als ze hem ditmaal nog geen rol gaven. 'Godallemachtig,
koop toch schoensmeer en poets ze zelf,' zei Frances dan,
maar zonder venijn. Ze was blij met de auditie.

Er was natuurlijk helemaal geen auditie – en als er al een
was, ging Matt er niet heen. Als Salvatore voor de laatste keer
met zijn poetsdoek op zijn schoenen had geslagen, bleef Matt
hem nog een half uurtje plagen en dollen en liep dan naar de
openbare bibliotheek om bij te lezen in de tijdschriften. Hij
was niet zo'n lezer, al had hij uit principe grote achting voor
literatuur en aanbad hij Shakespeare en Oscar Wilde. Hij keek
de *Atlantic* en *Harper's* en de *New Yorker* door, tijdschriften die
hij graag las; literaire bladen als de *Partisan Review* en *Com-
mentary* gingen hem boven de pet.

Hij zat in de bibliotheek doelloos in tijdschriften te bladeren en voelde zichzelf een mislukkeling, een lapzwans en
een bedrieger. Hij keek op zijn horloge. Als hij nu vertrok en
voortmaakte kon hij nog op tijd zijn om een lezing voor
Lionel te doen. Hij kende die regisseur, hij wist dat hij ouderwets en tergend traag was – één lezing was nooit genoeg.
Matt vermoedde dat Lionel een tikje dyslectisch was. Hij liet
je daar staan en je deel van de dialoog steeds weer overdoen,
tot drie of vier keer toe, terwijl hijzelf de andere helft hakke-
lend en op vlakke toon voorlas. En het maakte niet uit of je

een serieuze gegadigde was voor de rol of dat hij je in gedachten al had afgewezen: gelijke monniken gelijke kappen was zijn motto – even diep ademhalen en nog eens proberen. Of anders had hij iets van een sadist in zich. Regisseurs willen je in hun greep krijgen, je vormen en kneden naar een of ander bekrompen idee dat ze in hun hoofd hebben. Voor een regisseur is de acteur een marionet – Geppetto met Pinokkio. Matt had een diepe afkeer van het ritueel van de auditie, vond het vernederend. Hij was te zeer een vakman om zich daaraan nog te onderwerpen, zijn staat van dienst mocht toch wel voor zichzelf spreken? Zeker bij Lionel; ze zaten beiden al jaren in de business. Zoals iedereen sprak Lionel over 'de business'. Matt niet.

Hij deed zijn horloge af en legde het op tafel. Over een minuut of twintig kon hij teruggaan naar Frances en liegen over de auditie: Lionel had een hoofdrolspeler gezocht, er hadden allemaal jonge kerels gezeten, het was allemaal één groot misverstand geweest. En geloof het of niet, Lionel had zijn excuses aangeboden omdat hij Matts tijd had verdaan.

'Lionel? Excuses?' zei Frances. Ze had haar bril afgezet en wierp hem een van haar naakte blikken toe. Dat was zo'n maniertje van haar om hem niet te zien en toch dwars door hem heen te kijken. Hij voelde zich dan beschadigd.

'Je bent helemaal niet gegaan,' zei ze. 'Je bent helemaal niet naar die auditie geweest.'

'Jawel. Ik ben wel gegaan. Die lul van een Lionel. Mijn hele dag is naar de knoppen.'

'Hou me niet voor het lapje. Je bent niet gegaan. En Lionel is geen lul, hij is altijd goed voor je geweest. Nog maar drie jaar geleden liet hij je de oom spelen in *Navy Blues*. Ik snap niet waarom je dat telkens negeert.'

'Dat was rotzooi. Bagger. Ik ben het zat om de ouwe sok in het laatste bedrijf te zijn.'

'Je moet ook realistisch zijn. Je bent geen vijfentwintig meer.'

'Wat realistisch zou zijn is als ik rollen in mijn hele bereik kreeg.'

En zo voort en zo verder. Zo kibbelden ze door en het deed Matt verdriet: Frances begreep best hoezeer het slijmen bij regisseurs hem tegen de borst stuitte, het wachten op het oordeel over zijn steeds vleziger armen, zijn bolle buik, de gemaakte grijns op zijn gezicht, zijn houding, zijn loop, zelfs zijn stem. Hij wist dat het met zijn stem wel goed zat: die had hij aan een touwtje, hij kon hem met volmaakte beheersing aanspannen of uitrekken, verdraaien of verheffen. Maar toch moest hij zich onderwerpen aan hun kritische blikken, oordelen, vooroordelen en grillen. Hij had er een bloedhekel aan om onderdanig te moeten doen, zelfs in de vorm van joligheid, van gemaakte collegialiteit. Hij had een hekel aan liegen. Zijn neus werd steeds langer van alles wat hij Frances op de mouw speldde.

Aan de andere kant: wat was toneelspelen anders dan liegen? Een goede toneelspeler is een goede oplichter. Een volleerd acteur is een volleerd bedrieger. Of om het anders te zeggen: een acteur is iemand die zichzelf volledig kan vergeten. Of nog weer anders: een acteur is een marionettenspeler, met zichzelf als marionet.

Matt stak geregeld zulke afgezaagde redeneringen af – voornamelijk tegen zichzelf. Als het op filosoferen aankwam hield hij niemand voor het lapje, daarin was hij geen uitblinker.

'Er is voor je gebeld,' zei Frances.

'Door wie?' zei Matt.

'Het zal je wel niet aanstaan. Je zult wel niet willen, het past niet binnen je bereik.'

'Godsamme,' zei Matt. 'Wie heeft er gebeld?'

'Iemand van Ted Silkowitz. Over iets waar Ted Silkowitz mee bezig is. Het zal je wel niet aanstaan,' zei ze weer.

'Silkowitz,' kreunde Matt. 'Dat is nog een kind. Een duimzuiger. Wat wil ie van me?'

'Dat is het juist. Hij wil jou en jou alleen.'

'Hou toch op, Frances.'

'Zie je nou? Ik ken je, ik wist dat je zo zou reageren. Je wilt het toch niet doen. Je vindt wel weer een of andere uitvlucht.'

Ze trok een papieren zakdoekje uit de mouw van haar trui en ademde op haar brillenglazen. Die begon ze schoon te vegen met het zakdoekje. Bijziendheid interesseerde Matt – de houding die het mensen gaf, de kromming van nek en schouders. In dat soort problemen verdiepte hij zich graag. Stilstand en beweging. Toneelspelen was dan misschien liegen, het was ook een genadeloze en werktuiglijke vorm van de waarheid spreken. Matt keek toe hoe Frances de poten van haar bril weer in haar dikke haarbos duwde en bedacht hoe prettig dat eruitzag, hoe snel en handig ze dat deed. Hij kon die beweging precies nabootsen, hij tekende haar met zijn tong op de achterkant van zijn tanden. Als hij scherp genoeg keek, kon hij alles imiteren. Zelfs zijn neusvleugels, zelfs zijn geslachtsdelen hadden dat vermogen. Alleen de werking van zijn hersenen bleef hem grotendeels een mysterie – daar had hij geen greep op, zij hadden hem in hun greep, al kende hij de opdringerige gloed van hun zeurende gedachten.

'Het heeft iets met Lear te maken. Iets met Koning Lear,' zei Frances. 'Maar laat maar, het is niks voor jou. Jij wilt geen ouwe sok spelen.'

'Lear? Hoezo Lear?'

'Zoiets, ik weet het ook niet. Je wordt daar morgenochtend verwacht. Als het je interesseert,' voegde ze eraan toe. Hij wist hoe sluw ze kon zijn. 'Elf uur.'

'Kijk eens aan,' zei Matt. 'Is het maar goed dat ik mijn schoenen heb laten poetsen.' Niet dat hij in wonderen geloofde, maar van Silkowitz kon je alles verwachten. De nieuwe lichting: wat die kleuters uit hun hoge hoedjes konden toveren, daar viel geen peil op te trekken.

Silkowitz zat in een gebouw om de hoek van 8th Avenue, voorbij de theaterwijk. Een buurt met veel bars, afgewisseld met donkere kleine gleuven waar Griekse lunchtentjes zaten; op de hoek een seksshop. Matt, pak en stropdas, nam de lift naar het kantoor van Silkowitz op de vierde verdieping. Het bleek een kleine ruimte met twee kamers te zijn: een hokje voor de receptionist, een jongen van hooguit negentien, en daarachter een hokje voor de regisseur zelf. De deur van Silkowitz' kamer was dicht.

'Als u even wilt wachten. Hij zit aan de telefoon,' zei de jongen. 'We hebben een probleempje met de auteur.'

'De auteur?' zei Matt stomverbaasd.

'Ze is gisteravond overleden. Net nadat we u hadden gebeld over dat Lear-stuk.'

'Ik dacht dat de auteur al een hele tijd dood was.'

'O, het gaat niet om díe Lear.'

'Matt Sorley,' brulde Silkowitz. 'Kom binnen en laat me je bekijken. Je bent mijn vleesgeworden droom – ik ben een groot fan, dol op je werk. Panamahoed op je kop en klaar is Kees.'

Die grap over de hoed ergerde hem. Het betekende dat Silkowitz hem vooral kende van een van zijn rollen in die tv-serie – daarin was het zijn handelsmerk om in de rechtszaal een hoed te dragen tot de rechter hem berispte en eiste dat hij hem afzette.

'Dus de auteur is dóód?' zei Matt.

'We zitten met een tragedie. Hartaanval. Twee uur vannacht, overleden op de intensive care. Ze was ook niet meer zo piep. Marlene Miller-Weinstock, ken je haar?'

'Je hebt dus geen stuk,' zei Matt. Daar ging zijn rol.

'Laat ik het zo stellen: ik heb geen schrijver, dat is heel iets anders.'

'Nooit van haar gehoord,' zei Matt.

'Nee, ik dus ook niet, tot ik dit script in handen kreeg. Als ik het goed begrijp heeft ze een handjevol romans geschreven. Van het soort dat wordt uitgegeven voor de ramsj. Nooit eerder een toneelstuk geschreven. En zeg nou zelf, romanschrijvers die voor toneel schrijven, dat is ook niks.'

'Och, ik weet niet,' zei Matt. 'Gorki, Sartre, Steinbeck. Galsworthy. Wilde.' Hij bedacht dat Silkowitz waarschijnlijk nooit iets van die wereldberoemde oude kerels had gelezen. Hijzelf trouwens ook niet, maar hij was getrouwd met iemand die ze wel allemaal kende.

'Oké,' gaf Silkowitz toe. 'Maar Miller-Weinstock hoort niet in dat rijtje. Het punt is, wat ik van die vrouw kreeg is rauw. Rauw maar vol pit. Een brede kijk op de zaken.'

Silkowitz was een lefgozer van een type dat Matt niet eerder van nabij had meegemaakt. Lionel had, hoe arrogant hij ook was, een overdreven hoffelijk geduld dat uiteindelijk het lijden alleen maar rekte; Lionels truc was dat hij je in spanning hield. En Lionel had een geruststellend oud gezicht, met een flinke diepe wadi die zijn voorhoofd doorgroefde en een wen die schuilging in een wenkbrauw. Matt was aan Lionel gewend – ze waren allebei gepokt en gemazeld in het vak, wisten wat ze van elkaar konden verwachten. Maar hier zat Silkowitz met zijn babyface – hij leek nauwelijks ouder dan die knul in het andere hok – en die kinderlijk kleine tandjes die uit een knobbelige massa ontbloot tandvlees staken. Hier zat Silkowitz een mysterieuze dans op te voeren rond een dubieuze tekst van iemand die net was overleden. Die nieuwe lichting, die doorliep geen lange leerschool, dat was theaterwetenschap studeren aan Yale en vervolgens meteen naam maken, respect afdwingen, zorgen dat je naam rondgonst. Zo zelfverzekerd als deze man was, in sweatshirt en spijkerbroek, hanger om zijn nek, zilveren ring aan zijn duim, haren zacht en glanzend als van een meisje – heel die stevige torso straalde kracht uit. Jonge knul of niet, Silkowitz was hard op weg Lionels evenknie te worden: hij bokste dingen voor elkaar. Over een jaar of tien zou het sjofele kantoor nog net zo sjofel zijn, verstopt in net zo'n vage uithoek, maar waarschijnlijk wel ruimer. De jongen voorin zou eindigen als agent in Hollywood, of anders op de aandelenbeurs, in een blauwe blazer met koperen knopen. Bij Lionel voelde je je altijd log, overbodig, een beetje een sta-in-de-weg. Deze Silkowitz, een enthousiasteling, laadde je op: het voelde alsof er een stroomdraad in Matts ruggengraat werd geduwd die aan zijn wervels wrikte en trok.

'Het is natuurlijk een schok,' zei Silkowitz. 'Ik ben er ook niet blij mee, maar ik heb haar nooit ontmoet. Dat had vandaag zullen gebeuren. Precies op dit moment, nou ik het zeg. Ik dacht, ik zet eerst de afdeling geriatrie op poten, auteur en hoofdrolspeler bij mekaar brengen. Nou ja, ook geen ramp, onze hoofdrolspeler hebben we nog.'

'Hoofdrol,' zei Matt. Maar grap of niet, dat 'geriatrie' zat hem dwars.

'Ja. Zodra ik dat stuk zag, wist ik dat het jou op het lijf geschreven was. Toevallig,' zei Silkowitz, en hij stak twee schone roze handpalmen op, 'kwam ik Lionel laatst tegen, en hij heeft me getipt.'

Volgens Matt waren die twee mededelingen met elkaar in tegenspraak, maar hij ging er niet op in. Hij had zijn eigen scenario – Silkowitz die zei dat hij een oudere acteur zocht en Lionel die Matt opperde: 'Moet je Sorley eens bellen. Lichtgeraakt, staat bij het minste of geringste op zijn achterste benen, maar honderd procent betrouwbaar. Kent zijn tekst en komt op tijd.' Negen tiende van talent was op tijd komen.

Matt bleef zakelijk. 'Je wilt het stuk dus opvoeren zonder auteur.'

'We hebben de auteur verder niet nodig. We hebben genoeg aan de blauwdruk. Wat mij betreft is theater het medium van de regisseur.'

O, dat voorspelde wat: Silkowitz de orakelende kleuter. En zo ingenomen met zichzelf. Als hij het zonder auteur kon stellen, kon hij misschien ook zonder acteur?

Silkowitz gaf Matt een envelop. 'Fotokopie van het stuk,' zei hij. 'Neem mee en lees. Ik bel je, kom je hier weer, praten we verder.'

Matt voelde aan de envelop. Dik, ontmoedigend. Silkowitz had wel een beetje gelijk wat betreft romanschrijvers die voor toneel schrijven. Ze halen er te veel bij, willen de complete psychologische ontwikkeling van een personage in het stuk proppen, van wieg tot graf: een dwangbuis voor de acteur. Het personage doorgronden, je weg vinden in je rol, dat is het werk van de acteur. Voetje voor voetje, schuifelend, op de tast. Het eerste wat Matt deed was met een zwarte viltstift alle regieaanwijzingen doorstrepen. Zo bleef alleen de dialoog over, en die ontlokte hem slechts gekreun: oraties, monologen, lange lappen tekst. Bombast!

'Geeft toch niet,' zei Frances. 'Wat kan jou dat schelen? Het is werk. Dat wilde je toch?'

'Het idee is zo slecht nog niet. Variatie op het origineel.'

'Wat is het probleem dan?'

'Ik kan dit niet, dat is het probleem.'

Natuurlijk kon hij dit niet. En het stak hem dat Silkowitz verwachtte dat hij weer die hele tocht naar die seksshop op de hoek maakte – kon het niet over de telefoon? Silkowitz liet weten dat hij niets kon doen, niet kon nadenken, als ze niet tegenover elkaar zaten: hij was erg op persoonlijk contact. Alsof alleen zijn eigen behoeften telden. Met een zeker rancuneus genoegen kwam Matt tien minuten te laat.

In het voorste hokje zat een jonge vrouw.

'Hij zit op u te wachten,' zei ze. 'Hij is bijna klaar met eten.'

Matt vroeg waar de jongen was. Silkowitz likte een plastic lepel schoon en mikte een leeg bekertje yoghurt in de prullenbak aan de andere kant van de kamer. 'Opgestapt. Kon als assistent-toneelmeester aan de slag bij een of andere off-off-Broadway-productie. Nou, wat vind je ervan?'

'Die rol is niks voor mij. Dat had ik je aan de telefoon ook kunnen vertellen. Dat personage is tien jaar ouder dan ik. Misschien wel vijftien.'

'Je hebt tijd zat om je baard te laten staan. Die wordt wit.'

'Ik weet niets over de hele achtergrond, het is mijn milieu nict.'

'Kans van je leven,' wierp Silkowitz tegen. 'Hoe vaak krijg je in hemelsnaam de kans om Lear te spelen?'

'Ja,' somberde Matt bitter. 'De Lear van Ellis Island. Net aan komen varen.'

'Heel goed,' zei Silkowitz. 'Zie het maar als historisch drama.'

Matt zat daar en aanhoorde de preek die Silkowitz met gloeiende ogen afstak. Een geschiedenisriedel, welja. Vierde, vijfde generatie, de laatste druppel misère van de overtocht allang uit zijn bloed gezeefd – voor de kleine Teddy Silkowitz was het één brok romantiek. 2nd Avenue ter hoogte van 12th Street, het oude Jiddische volkstoneel, die koortsachtige oude toneelstukken. Geween op het podium, geween in de hele zaal. Miller-Weinstock ('Ze ruste in vrede,' voegde Silkowitz eraan toe) was de dochter van een pionier op de planken van dat immigrantentoneel. En geloof het of niet, de oude man leefde nog, zesennegentig inmiddels, een levend fossiel, een levensechte uitgestorven-maar-niet-heus vogelbekdodo. Zo was ze aan haar verhaalstof gekomen – van haar vader. Die romans die ze had geschreven, die waren misschien tweederangs, wie zal het zeggen. Silkowitz had geen idee – had nauwelijks een blik geworpen op het handjevol recensies dat ze had meegestuurd – en het deed er ook niet toe. Wat ertoe deed was de warmte die je tegemoetkwam als je dat toneelstuk las, de warme geur van verroeste radiatoren die aansloegen in de uitgewoonde flats langs Southern Boulevard in de Bronx van de jaren dertig, of de zomerse ozongeur in de verkeerschaos bij de tramhalte in West Farms. Maar het waren niet die crisisjaren die Silkowitz enthousiast maakten – het oproepen van die sfeer was zijn doel niet. Matt stond versteld – Matt, aanbidder van nuance, fijne schakeringen, hint en suggestie, instinct, Matt die voor een schoenlapper de horlepiep danste maar op het podium slechts tussentonen en grijstinten wilde overbrengen, die een hekel had aan overdrijving, karikaturen, vet acteren, Matt voor wie het podium gewijde grond was... En wat verlangde Teddy Silkowitz van hem?

'Het roer radicaal om,' zei Silkowitz. 'Hoog tijd voor een omschakeling. Wisseling van de wacht. Verandering, daar gaat het om! Waar is de openheid, het weidse gebaar, de passie, de emotie? Al vijftig, zestig jaar lang krijgen we alleen gemompel, stiltes, kaken op elkaar, en godsamme, ze zijn niet te verstaan, al dat geblaat van de Actors Studio, de oude orthodoxie, dat zogenaamde graven in jezelf, stelletje quakers die wachten op hun innerlijk licht – achterhaald! Op sterven na dood, afgeschreven, finito! Luister Matt, ik heb het over warmte, spierballen, menselijke wanhoop. Waar is het lawaai op het toneel gebleven? De grote monologen en toespraken? Al die bloedeloze bleke praatstukken voor twee acteurs met hun afgeknepen dialogen en hun zielige impotente climaxjes. Matt, ik zal je zeggen hoe ik erover denk, en ik zeg het met respect want ik zit hier tegenover een oldtimer, en je moet begrijpen dat ik mijn plaats weet. Maar we leven nu in een nieuw tijdperk, en iemand moet dat duidelijk maken –' Silkowitz' brandende blik ging de hele kamer door, van het bureau naar de vloer en het plafond. Die verzengende ogen, meende Matt, konden de verf van de muren schroeien. 'Daar ben ik voor. Neem het serieus. Ik wil de oude, verloren kunst van het melodrama in ere herstellen. Mensen bedoelen het denigrerend als ze het over melodrama hebben, maar het is gewoon één brok rauwe emotie, snap je? En de kans is me in de schoot geworpen! Door een dochter van een echte veteraan!'

Matt zei botweg (verrast door zijn eigen botheid): 'Dan ben je bij mij aan het verkeerde adres.'

'Besef goed wat je doet, makker. En wrijf mij geen nostalgie aan. Het jonge hart dat smacht naar grootvaders wereld. Dat denk jij, hè?'

'Niet precies,' jokte Matt.

'Dat is het niet, echt niet. Het gaat me om dat grote gebaar – grootse gevoelens, luidkeels geschreeuw. De oerkreet! Het oude Jiddische toneel bleef daarmee doorgaan toen het overal begon uit te sterven. Om zeep geholpen door understatement. Om zeep geholpen door stil spel, "de kunst van het weglaten". Om zeep geholpen door raffinement, modernisme, gepsychologizeur, Stanislavski, al die intellectuele moordenaars van het Griekse koor. Snap je wat ik bedoel? De Jiddische Medea. De Jiddische Macbeth! Dat was gróóts, Matt!'

'Wat mij betreft,' zei Matt, 'is het sleutelwoord "oldtimer".'

'Van jouw type lopen er niet veel meer rond,' gaf Silkowitz toe. 'Luister, ik wil jou hier heel graag voor hebben. Het is echt een rol voor jou.'

'Een herinnering aan de oude wereld, is dat mijn type? Ik speelde al O'Neill voordat jij geboren was.'

'Je hebt het stuk gelezen, het is gewoon in het Engels. Zo Amerikaans als appeltaart. Lear in de Lower East Side! Kunnen we ook Upper West Side van maken. En die dochters – ik heb al een paar geweldige vrouwen in gedachten. We kunnen alles naar het heden verplaatsen, we kunnen doen wat we willen.'

'Ja, we hoeven niet meer in de clinch met de auteur.' Matt staarde naar de omslag van zijn broekspijpen. Die begon te slijten bij de vouw. Hij had een nieuw pak nodig. 'Ik kom niet uit die wereld. Mijn moeders vader kwam uit Turkije en sprak Ladino.'

'Spaanse adel? Je meent het. Wist ik niet. Om je te zien –'

'Ik weet hoe ik eruitzie,' onderbrak Matt hem. 'Als een gepensioneerde broekenperser.' Hij wilde Ibsen spelen, Shaw! Henry Higgins met Eliza. Een rol met grandeur, cynisch, afstandelijk. Hij kon een Brits accent opzetten als de beste.

Silkowitz gaf niet op. 'Lionel zegt bijna zeker te weten dat je vrij bent.'

Vrij. De laatste keer dat Matt op het podium had gestaan (tv telde niet mee) was in Lionels eigen flutstuk, iets uit Londen, waarin Matt vlak voor het eind zijn opwachting maakte als de geliefde maar afwezige oom. Dat was al meer dan drie jaar geleden – vier onderhand.

'Ik zal erover nadenken,' zei Matt.

'Afgesproken dan. Laat alvast je baard staan. Er is alleen één ding. Beetje huiswerk voor je.'

'Maak je geen zorgen,' zei Matt. 'Ik ken de plot. Regan, Goneril en Cordelia. Ik heb het op school gelezen.'

Het was echter niet Shakespeare waar Silkowitz aan dacht, maar de zesennegentigjarige Eli Miller. Silkowitz had het adres van de oude man, in een 'seniorencomplex'. De dochter had waarschijnlijk de naam laten vallen en Silkowitz had zijn loopjongen – of misschien het meisje – opdracht gegeven om het na te trekken. Het heette het Tehuis voor Bejaarde Kinderen van Israël en het lag niet ver van de Cloisters.

'Die tehuizen werken me op de zenuwen,' klaagde Matt tegen Frances. 'De pisgeur, die halve zombies.'

'Zo hoeft het niet te zijn. Er is vaak van alles te doen. Met activiteitenbegeleiders en zo. Op die leeftijd gaan ze misschien wel voor schunnige dingen, weet jij veel.'

'Tuurlijk,' zei Matt. 'Met mijn klarinet tussen je Joodse Alpen, met één wip in het graf. Je kunt maar beter met me meegaan.'

'Wat heeft dat voor zin? Silkowitz wil dat je de sfeer van de goeie ouwe tijd opsnuift. Wij in Tulsa hádden geen "goeie ouwe tijd".'

'En als ie nou geen Engels spreekt? Zou toch kunnen? Dan zit ik daar.'

Dus ging Frances mee. Al kwam ze uit Tulsa, ze kende nog wel een paar vage flarden huis-tuin-en-keuken Jiddisch. Ze was sowieso een duivelskunstenaar met talen. In haar moeilijkste puzzels strooide ze graag met *cri de cœur*, *Mitleid*, *situación difícil*. Ze had ooit oud-Grieks en Sanskriet gestudeerd.

Het milde januariweer was venijnig geworden. De lucht beukte als een bevroren gummiknuppel tegen hun voorhoofd. In hun dikke winterjas gewikkeld wachtten ze op de bus. Onderaan de carrosserie hingen ijspegels waar zwarte modder van drupte. De lange tocht door het donker van de namiddag bracht hen naar wat een voorgebergte leek. Bij de oprijlaan van het Tehuis voor Bejaarde Kinderen van Israël voelden ze zich als een koppel haviken, zo weids was het uitzicht op rivieren en wegen en piepkleine huisjes. '*De toverberg,*' mompelde Frances toen ze van de receptie een gang in liepen, op weg naar kamer 1-A, waar Eli Miller woonde.

Daar was niemand.

'Even snuffelen,' zei Frances. Matt volgde haar de kamer in. Het was er veel te warm: van kippenvel naar zweet in twee minuten. Hij was blij dat Frances meegekomen was. Soms kon ze blijk geven van een verrassende agressie. Hij zag dat af en toe als ze in de weer was met haar lege vierkantjes, haar lijsten met synoniemen, haar misleidende definities. Haar geheime leven in die hokjes had een zinderende woestheid. Ze struinde door 1-A alsof het een vierkantje was dat moest worden ingevuld. De kamer was raadselachtig genoeg: hoe zou het zijn om zo ingeblikt te leven – één enkel dressoir vol tubes en pillen, een doorgezakte leunstoel met een kaalgesleten pluchen zitting, een bed voor dorre botten – in de wetenschap dat dit de laatste halte voor je dood was? Het bed leek meer op een bankettafel, hoog en met dikke, sierlijke poten. Het was bedekt met een soort gekreukelde mantel, zwaar donkerrood fluweel met kwastjes aan de hoeken – een koninklijk gewaad dat zo weggeplukt kon zijn uit het boudoir van een jonkvrouw aan het hof van de tsaar. Naast het bed stond een kinderkrukje.

'Het is vast een klein mannetje,' zei Frances. 'Als je ouder wordt, ga je krimpen.'

'Oldtimer,' snauwde Matt. 'Stel je voor. Zo noemde hij mij.'

'Wie?'

'Die eikel van een Silkowitz.'

Frances ging er niet op in. 'Moet je die bedsprei zien, of wat het ook is. Een toneeldoek, zou ik zweren. En dat bed! Toneelmeubilair. Godallemachtig, heeft hij dat allemaal gelezen?'

Op elke centimeter die niet werd ingenomen door het dressoir, de stoel of het bed lagen boeken. Kasten waren er niet. De boeken rezen uit de vloer op in wankele stapels, met nauwe gangen ertussen. Sommige waren eraf gevallen en lagen open als vleugels, de pagina's weggeslagen van de rug.

'Duits, Russisch, Hebreeuws, Jiddisch. De complete Dickens. Kijk,' zei Frances, 'Moby-Dick!'

'In de lounge zeiden ze bezoek,' klonk een stem in de deuropening. Het was de monotone dreun van de bijna-dove, een koperinstrument waar geen muziek meer uit kwam. Frances duwde haar bril hoger op haar neus en veegde haar rechterhand af aan haar jas: Moby-Dick zat onder het stof.

'Meneer Miller?' zei Matt.

'In de rouw, meneer. Eli Miller is in de rouw.'

'Ik heb het gehoord. Mijn deelneming,' zei Matt. Maar als dit een gesprek moest worden, had hij geen idee hoe hij er greep op moest krijgen.

De oude man was klein, met stevige schouders en het hoofd van een monnik. Of anders het hoofd van Ben Goerion: een bal van blote huid, blinkend als glas, met rondom een uitwaaierende krans hagelwit haar, krakend van statische elektriciteit. Zijn wangen een waterval van rubberen rimpels. Eén oogje tuurde gevaarlijk blauw door die stortvloed heen. Het andere lag opgesloten in de oogkas. Stokoud was hij zeker, maar breekbaar kon je hem niet noemen. Hij zag eruit als een man die nog steeds een os kon vellen.

Hij beende rechtstreeks naar het krukje, tilde het op en smeet het de gang in. Het maakte een kletterend lawaai.

'Ben ik weg, zetten ze hier rotzooi neer. Ik zeg ze toch, Eli Miller heeft geen ladder nodig!' Hij wendde zich tot Frances, schreeuwend als een dove. 'Ze was een vrouw van uw leeftijd. Hoe oud, vijftig? Uw vader, die leeft nog?'

'Die is al jaren dood,' zei Frances. Over haar leeftijd deed ze geen mededelingen. Dat lag gevoelig.

'Natuurlijk. Dat is natuurlijk, de vader moet het kind niet overleven. Heel ongelukkig persoon, mijn dochter. Gescheiden. Man neemt de benen naar Alaska en zij zit met een slecht rothart. Een schande, tegennatuurlijk – Eli Miller, hart en longen van een olifant! Liever een wereld vol weduwen dan gescheiden vrouwen.' Hij krulde zijn dikke slagersarm om de kraag van Frances' jas. 'Mijn vrouw, u zou stomverbaasd zijn als u haar zag, mevrouw. Ze had ongewoon grote ogen en met wat mascara op de oogleden werden ze nog groter. Grote zwarte olijven. Tweeëndertig jaar is ze nu al overleden. Ze had een stem, die hoorden ze op het tweede balkon, achterste rij.'

Matt zag Frances kijken: het was duidelijk dat ze de oude al had afgeschreven. 'Schroefje los,' zei haar blik, 'totaal de kluts kwijt, niet goed wijs.' Matt besloot het van de positieve kant te bekijken: een vader die zijn kind heeft verloren verdient wat clementie.

'Er bestaat serieus interesse voor het toneelstuk van uw dochter,' begon hij. Hij klonk kalm, redelijk.

'Ambitieuze vrouw. Talent wat minder. Met Eli Miller als vader moet je wel ambitieus zijn. Eli Millers talent, dat is een andere zaak. Wat u hier ziet' – een brede armzwaai bestreek heel 1-A – 'zijn restanten. Brokstukken en fragmenten! *De radeloze bruidegom, 1924!*' Hij pakte een punt van de roodfluwelen bedsprei en liet het kwastje tussen zijn vingers gaan. 'Aan de zoom van de jurk van Esther Borodovsky vijfentwintig van deze! En vierhonderd boeken tegen de wanden van dr. Borodovsky's kamer! Zo deden we dat, niks beknibbelen! En wie denkt u dat de bruidegom speelde? Eli Miller! McKinley Square Theater, Boston Road en 169th Street, zo'n avond vergeet je niet, wie erbij was weet het nog!'

Matt vroeg: 'Wist u dat uw dochter een toneelstuk heeft geschreven? Had ze dat verteld?'

'En niet alleen de bruidegom! Othello, Macbeth, Polonius. Polonius de grote filosoof, heel ernstig, heel wijs. De Shylock van Jacob Adler, een keizer! Tomashefsky, Schwartz, Carnovsky!'

'Matt,' fluisterde Frances, 'ik wil hier weg. Nu.'

Matt zei langzaam: 'Het stuk van uw dochter wordt opgevoerd. Ik speel erin. Ik ben acteur.'

De oude man stootte een lach uit. Zijn kunstgebit klapperde als een stel bekkens. De lichtkrans van zijn statische haar danste op en neer. 'Acteur, acteur, noem jezelf wat je wil, maar pas op wat je zegt in het bijzijn van Eli Miller! Mijn dochter, eerst romanen en nu een toneelstuk! Niet alleen gaat de dochter eerder dood dan de vader, de dochter is ook nog middelmaat. Altijd middelmaat. Zij kan niet tippen aan de vader! Eli Miller de steracteur! De dochter klimt en valt. Middelmaat!'

'Kom mee, Matt,' gromde Frances.

'En deze?' Weer sloeg de oude man zijn arm om haar heen. Frances week achteruit. 'Zit deze er ook in?'

'Alstublieft,' zei Matt en hij gaf Eli Miller een visitekaartje van Teddy Silkowitz. 'Dat is de regisseur, als u er meer over wilt weten.' Hij stopte. Bedacht dat hij beter niet kon zeggen wat hij had willen zeggen. Maar zei het toch: 'Hij bewondert het werk van uw dochter.'

'De Polonius van Eli Miller, in het mooiste literaire Jiddisch, meneer! Staande ovaties en bravo elke avond. Elke middagvoorstelling. Drie matinees per week, zo ging dat toen. Bravo bravo. Tegen de tijd dat zij geboren wordt, na de oorlog is dat, 1948 al, loopt het op zijn eind, is het praktisch voorbij. Gedaan – niks meer van over! Na Hitler heeft niemand toch nog zin in een tragedie op een podium? Ook geen toneelspelers meer trouwens, alleen nog filmsterren. Alstublieft, meneer, doe me een lol en noem geen namen, wie, waar, wat, wie weet het nog? Maar Eli Miller en Esther Borodovsky, dr. Borodovsky ook, wie erbij was weet het nog!'

'Ik weet niet wat jij doet,' waarschuwde Frances, 'maar ik ga.'

Matt hield nog even vol. 'Het stuk van uw dochter,' zei hij, 'is geschreven uit respect daarvoor. Voor alles wat u voelt.'

'U weet niet wat u zegt. Ik weet hoe ze is! Mijn dochter, haar hele leven wil zij maar één ding, Eli Miller van zijn ziel beroven. Daarom heeft God haar middelmaat gemaakt, daarom stopt God de dochter als eerste in het graf!'

Toen ze vertrokken liepen er tranen uit zijn ene blauwe oog.

'Volgens mij moedigde jij hem aan,' zei Frances. 'Je zat hem gewoon op te stoken.' Ze zaten tegen elkaar aan in het bushokje, uit de wind. Het was vijf uur en al donker.

Matt zei: 'Zo'n oude acteur, misschien speelde hij toneel.'

'Dat geloof je toch zelf niet?' zei Frances. Ze zat ineengedoken in haar dikke jas te rillen.

'Jij zegt dat van mij ook altijd.'

'Wat?'

'Dat ik de hele tijd toneelspeel.'

'Ach, hou toch op,' zei Frances. 'Waarom moest ik hier nou mee naartoe? Ik voel mijn tenen niet meer.'

Eind februari, een dag dat het sneeuwde, begonnen de repetities. Silkowitz had een kelder in een gerenoveerd oud gebouw in de West Forties gehuurd, met uitzicht op de snelweg en de rivier. Aan één kant van de ruimte was een podium en aan de andere een soort palissade rond een toilet dat af en toe verstopt raakte. Het plafond kreunde en trilde. Een verre piano bonkte storende ritmes: ze zaten onder een dansstudio. De cast was kleiner dan Matt had verwacht – de drie vrouwenrollen waren teruggebracht tot twee. Silkowitz was de hele maand bezig geweest om het stuk te herzien en was nog steeds niet tevreden. Had Matt net de choreografie van een scène geleerd, bedacht de regisseur zich en verzon hij voor iedereen weer andere posities. Tot Matts verbazing was de jongen die eerst bij Silkowitz op kantoor had gezeten er ook bij, schrijfblok in de aanslag. Silkowitz had hem teruggehaald als toneelmeester. De knul had goed zes weken ervaring, berekende Matt.

Silkowitz had zichzelf tot Chef Geheimen gebombardeerd. Elke repetitie voelde als een samenzwering waar de spelers geheel buiten werden gehouden. Het was een komen en gaan van vreemden met een portfolio onder de arm. Silkowitz stelde ze niet aan hen voor. 'Dit wordt een kleine productie, geen ingewikkelde fratsen. Ik ben helemaal vóór samenwerking, maar bedenk wel dat er alleen via mij wordt samengewerkt,' verkondigde hij. En een andere keer: 'Ik wil het stremsel flink laten klonteren.' Zijn tirannie was nog erger dan die van Lionel. Het sjofele kantoortje was de dekmantel waaronder een hardnekkige zelfgenoegzaamheid school. Matt had zo zijn eigen ideeën en verloor zich graag in detailkritiek, maar de lust om met Silkowitz in discussie te gaan verging hem al snel. De regisseur onderbrak hem soms halverwege een zin om bij de muur met een van die onbekende passanten te gaan smoezen: over het decor, of de belichting; of er was nog iets met de muziek waarover hij zich moest buigen. Het theater was al geboekt, zei Silkowitz – een zaal met 299 zitplaatsen ten westen van Union Square – en hij had een paar onzichtbare geldschieters weten te strikken van wie hij de naam niet onthulde. Silkowitz had de reputatie een snelle jongen te zijn: wat gisteren van groot belang leek, deed er vandaag al niet meer toe. Aan Matts verhaal over het bezoek aan Eli Miller schonk hij nauwelijks aandacht. 'Mooi, mooi,' antwoordde hij, 'oké,' en hij keerde hem de rug toe om een staalboek van stoffen te bekijken. Alsof hij niet zelf had aangedrongen op een bezoek aan het Tehuis voor Bejaarde Kinderen van Israël.

Aan het eind van elke repetitiedag ging de regisseur op de rand van het podium zitten met de acteurs in een halve cirkel om hem heen en nam zijn aantekeningen met hen door. Dan kwam de dagelijkse aansporing: wat hij van hen allemaal wilde, zei hij, was meer passie, meer overgave. Hij wilde dat ze figuurlijk vergif dronken. Hij wilde dat ze bloed, zweet en bittere gal uitstortten.

'Vooral jij, Matt. Je speelt weer te ingetogen. Hou op met dat *less is more* gedoe, dat is bullshit! Meer power! We moeten die donderslag horen.'

Matt had een zere keel. Hij leerde zichzelf brullen. Hij had al zijn gebruikelijke technieken laten varen: zijn stembanden leken ontsteld over wat hij ze nu liet doen. Hij voelde een vreemde duisternis in zijn borst opzwellen. Voordat hij 's ochtends de metro naar de repetitie nam, liep hij door de zwart geworden sneeuw naar de openbare bibliotheek om bij een warm plekje naast de radiator in *Koning Lear* te duiken, het origineel. Als hij zag hoe die zelfzuchtige vrouwen de oude man tot op het bot uitkleedden – geen wonder dat hij het uitschreeuwt!

Onderweg naar de metro bedacht hij dat het al weken geleden was dat hij voor het laatst bij de schoenmaker was geweest.

Salvatore herkende hem niet.

'Hé, Salvatore!' riep Matt met de theatrale bulderstem die Silkowitz graag hoorde, en hij probeerde een ingekorte versie van zijn grappige dansje ten beste te geven. Maar in zijn lompe sneeuwlaarzen kon hij alleen wat stampen.

Boven het lawaai van zijn apparaten uit zei Salvatore: 'Hebt u schoenen voor reparatie, meneer?'

'Wat heb jij ineens?' zei Matt.

'*Il attore!*'

Het kwam door die baard, legde de schoenmaker uit. Hoe

kon hij nu zien dat het zijn vriend Matteo was? Waar diende die baard toe? Was hij dan toch opera gaan doen? Met die baard leek hij wel honderd jaar. Daar schrok Matt van. Zoals Silkowitz al had voorspeld bleek zijn baard spierwit te zijn: nu leek hij echt een oldtimer.

En het was waar: hij zat inderdaad in een opera. De oerkreet van Marlene Miller-Weinstock bleef galmen, ondanks de aanpassingen van Silkowitz. Die aanpassingen waren logistiek: hij had de locatie verplaatst, het tijdperk verschoven en de namen van de personages hedendaagser gemaakt. Het stuk van Marlene Miller-Weinstock was een soort kostuumdrama over de jaren dertig, en Silkowitz had het naar het heden gehaald. Dat was alles. Aan de teksten was weinig veranderd. Bombast! Geen vage toespelingen of stille wenken, geen van die veelzeggende aarzelingen waar Matt graag mee strooide. Wat hij aanbad was de kunst van het weglaten, de extra betekenislaag. Wat zij aanbad was bombast en spektakel. Matt was vooral goed in het invullen van de stiltes: dat deed hij met heel zijn beweeglijke gezicht, met de stand van zijn benen – een sceptisch gebogen knie, een ironisch weggedraaide voet. Maar de aria's van Marlene Miller-Weinstock lieten geen ruimte voor stille suggestie of onzekerheid. Daarin voerde razernij de boventoon. Razernij en overtuiging en een onstuitbare, vurige waarheid. Matt begon te beseffen dat razernij waarheid wás. Het verbaasde hem dat dat kon. Zijn credo als acteur was altijd het tegenovergestelde geweest: dat de waarheid een flauw lichtschijnsel is, een vaag gevoel, hints en intuïties; dat nuance de essentie is. Wat Marlene Miller-Weinstock wilde overbrengen was kwaadaardigheid, razernij, waanzin zelfs. Rauwe hartstocht. Gierende uithalen uit de ingewanden van de wervelwind. Ze was een en al storm. En in dat luide stormgebulder – in al dat gejammer – begon Matt de regelmatige dreun van een inwendig kanon te ontwaren. De knallen waren luid en ritmisch: het was zijn eigen hartslag.

De twee vrouwen die dat stoffige, slecht verlichte podium met hem deelden – met hen voelde hij zich niet verbonden, hij zag ze als bewegende afschaduwingen van zichzelf. Hij voelde zich ook niet verbonden met de mannen, van wie hij er één kende van een klus met Lionel. En in de donkere periferie van die kelder, op klapstoeltjes tegen de muur, zat de jongen met zijn schrijfblok en daarnaast Silkowitz, licht hijgend, met zijn voet op en neer wippend alsof hij marcheerde op de maat van een onhoorbare fanfare. Maar de vestibule van de gêne (schaamte dat hij nu zo moest brullen), daar was Matt nu doorheen: hij stond in een lege kamer, met tapijt en gordijnen. Het was alsof hij door een vlies was gebroken, een long waarachter ineens een altaar bleek te staan, bekleed met de zware bedsprei van Eli Miller. In die kamer luisterde Matt naar zijn eigen hartslag. Hij begreep dat het niet Silkowitz was die hem hier had gebracht. Silkowitz was een letterknecht, een romanticus, een theoreticus – een van de drie of allemaal tegelijk. Hij was vooral een patser. Silkowitz zette al zijn geld op de toekomst. Hij had niets van doen met dit wellustige lawaai, Matt die opgesloten zat in de gongslag van zijn eigen ribbenkast, alleen en levensgroot – angstwekkend groot daar op dat stoffige, slecht verlichte podium. Het was Marlene Miller-Weinstock die hem die kamer in had getrokken. Of haar vader. Opgesloten in zijn gebrul begon Matt geloof te hechten aan de beschuldiging van de vader: dat de dochter haar vader te grazen nam om zijn ziel na te bootsen.

Silkowitz was in zijn nopjes. 'Jij hebt het te pakken,' zei hij tegen Matt. 'Volg zijn voorbeeld,' zei hij tegen de anderen. Hij prees Matt omdat hij overal tegelijk was, als een rondrazende geest. Omdat hij de vrouwen in de ogen keek op een krachtige intieme manier die het naturalisme ontsteeg. Omdat hij iets toevoegde wat Silkowitz 'symboolwaarde' en 'eenheid in het toneelbeeld' noemde. Matt begreep er niets van. Hij had een hekel aan dat taaltje. Het was niet wat hij voelde, niet waar hij mee bezig was. Hij voelde zich geen deel van een gezelschap. Hij deed het niet voor het gezelschap, wat Silkowitz er ook van dacht. Hij zocht naar zijn eigen grote brul. Hij wilde ín dat gebrul blijven zitten. Na de repetities zei hij weinig en snelde meteen naar de metro.

Tien dagen voor de première verhuisde Silkowitz de cast naar het theater, een omgebouwde bioscoop. Het podium was klein, maar het was te doen. Om bij de herenkleedkamer te komen moest je door een smalle bedompte gang waar aan het plafond grote roestige buizen hingen te zweten. Het was er bedrijvig, het krioelde van de mensen. De jongen met het schrijfblok was voortdurend in de weer met zijn lijsten en schema's; hij maakte een professionele indruk. Een wirwar van kabels op de vloer. Tussen de scènes door klonk ingeblikte muziek uit mysterieuze hoeken. Er verschenen grote houten vormen die heen en weer werden geduwd over het voortoneel. Silkowitz bemoeide zich overal mee, rende van de ene hoek naar de andere, met zijn lange meisjesachtig golvende haar en de zilveren duimring die rood oplichtte als hij langs de lamp bij de uitgang liep.

Frances had besloten de laatste repetitiedagen bij te wonen. Silkowitz maakte geen bezwaar. Ze sjouwde een grote draagtas mee en installeerde zich op de een-na-laatste rij met haar woordenboeken, potloden en andere naslagwerken op de stoelen om haar heen. Ze zat in stilte te werken maar Matt wist dat ze alles aandachtig en bezorgd gadesloeg. Haar inspectie en haar oordeel lieten hem koud. Hij concentreerde zich op zijn brul. Holle bombast noemde ze het spottend, maar dat Matt zijn eigen stijl had losgelaten vond ze niet erg

95

– hij deed zijn werk en gaf de regisseur wat hij verlangde. Daar stond een gage tegenover. En Matt kon onderhand ook niet meer beweren dat hij het louter deed omdat Silkowitz hem achter de broek zat. De regisseur ontving in dankbaarheid wat Matt voortbracht. En wat Matt voortbracht was een oceaan van gejammer. Frances stopte haar werk terug in haar tas en luisterde. Matt stond vooraan op het toneel, alleen, en profil, schuin als een zeil in de wind of het laatste blad aan een boom in de winter. Hij zag er zelf winters uit. Het was de laatste doorloop voor die dag, de andere spelers waren al weg. Matt deed zijn soloscène aan het eind van het tweede bedrijf. Van zijn grote buik was weinig over. Hij had de laatste tijd geen eetlust meer. Hij had nooit honger. Hij had nu een lange woeste baard die aan de uiteinden licht bruingeel was. Hij leek helemaal in zijn rol op te gaan, te lijden. Hij staarde voor zich uit, naar het donker van de coulissen.

Toen keek hij naar Silkowitz. 'Er is daar iemand,' zei hij.

'Kan niet,' zei Silkowitz. 'Sally's kind is ziek, ze is naar huis. Ze moet trouwens ook van de andere kant opkomen. Is die elektricien daar nog bezig?' riep hij naar de jongen met het schrijfblok.

'Iedereen is weg,' riep de jongen terug.

'Ik dacht dat ik iemand zag,' zei Matt schor. Hij had zijn haar laten groeien tot aan zijn baard. Zijn ogen hadden iets vogelachtigs, omringd door rimpels.

'Oké, we kappen ermee. We zijn allemaal doodop,' zei Silkowitz. 'Zorg dat je wat slaap pakt.'

Onderweg naar de metro, met Frances aan zijn zijde, liep Matt te piekeren: 'Er was daar iemand. Hij kwam uit het herentoilet, ik heb hem gezien.'

'Slechte buurt. Gewoon een vaag figuur dat naar binnen geslopen is.'

'Gisteren was hij er ook. Midden in diezelfde monoloog. Volgens mij houdt zich daar iemand verborgen.'

'Waar? Op het herentoilet?'

'Vanaf het moment dat we in het theater repeteren. Ik zie hem daar al vanaf de eerste dag.'

'Daar heb je niks van gezegd.'

'Ik wist het niet helemaal zeker.'

Hij had al spijt dat hij erover begonnen was. Het was niet iets waarover hij het met Frances wilde hebben. Ze had de spot gedreven met zijn brul. Ze zei nota bene dat het bombast van de ergste soort was, dat hij stond te schmieren. Zo onnozel, zo dom! Hij was gegrepen, vervaagd, binnenste buiten gekeerd. Zijn brul had een gedaanteverwisseling bij hem teweeggebracht: de keel zet uit en wordt een doorgangsroute voor spoken, de longen een echokamer van geestverschijningen. Zijn gebrul had hem ver doen uitstijgen boven Frances, boven Silkowitz. Silkowitz en Lionel, wat deed het ertoe? Ze waren identiek, inwisselbaar, claqueurs en aanjagers, ieder met een eigen stijl, maar wat maakte dat uit? Silkowitz hield van grote gebaren en felle kleuren, schelle stemmen als in ouderwets variété. Net als Frances zag hij niet wat er verscholen lag in de grot van dat gebrul. En zijn medespelers beschouwde Matt als robots. Hij stond alleen, helemaal alleen. Afgezien van die man die zich daar ophield, die loerde, staarde.

'Godallemachtig, Matt,' barstte Frances uit. 'Je loopt te hallucineren van hier tot Tokio. Het is al erg genoeg dat je er zo idioot uitziet, je hoeft niet ook nog eens mesjogge te wórden. Denk maar niet dat ik nog een keer meega. Ik blijf thuis, ik moet trouwens mijn deadlines halen.'

Die nacht schoten in haar hokjes woorden op als 'wisent', 'muleta', 'antheridium', 'tieretein', 'nystagmus', 'beurelen'. Ze werkte door tot de ochtendstond en zei geen woord. Af en toe pauzeerde ze om haar brillenglazen schoon te maken. Matt wist dat ze met onwrikbare logica te werk ging.

De dag voor de generale repetitie liet Matt zijn schoenen nog eens poetsen. Salvatore keek bedenkelijk. Matteo zag er niet meer uit alsof hij honderd was, zei hij. Hij zag eruit alsof hij tweehonderd was.

'Weet je,' zei Matt voorzichtig – hij moest fluisteren om zijn brul niet kwijt te raken – 'er is iets wat nog mooier is dan opera.'

Salvatore zei dat er niets mooiers dan opera bestond. Wat kon er nou mooier zijn dan opera? Voor het eerst moest Matt betalen voor de poetsbeurt.

De generale repetitie ging goed, zij het een tikje te gehaast. De man in de coulissen had zich niet meer vertoond. Silkowitz hield een nabespreking en gaf wat laatste aanwijzingen. Tegen Matt zei hij niets. De geur van koffie en broodjes walmde Matt tegemoet en met onverwachte gretigheid verslond hij een bagel met cream cheese. Hij voelde dat er een diepe rust in hem was gevaren. Om hem heen woedde een storm van nerveuze ongein, kwinkslagen, domme grappen en grollen. Dat was de gisting, de spanning. De regisseur deed mee met moppen, plagerijen, roddels en anekdotes. Een journalist, een roodharige vrouw van de *New York Times*, kwam Silkowitz interviewen. Hij had een ijverige publiciteitsmedewerker ingeschakeld. Er waren al veel journalisten geweest. Deze vrouw had eerst met Lionel gepraat, zei ze, om ook de andere kant van het verhaal te belichten: hoe een traditionelere regisseur bijvoorbeeld aankeek tegen wat zich bij Union Square afspeelde. Lionel had koeltjes gereageerd: hij was een minimalist, hij haalde zijn neus op voor wat hij beschouwde als de potsierlijke postmoderne experimenteerdrift van Teddy Silkowitz. Ging hij naar de première? Nee, dat was hij niet van plan.

'Hij komt heus wel,' zei Silkowitz tegen de interviewer. Het gezelschap maakte zich op om naar huis te gaan. 'En ik snap niet wat hij hiertegen heeft. Hij heeft vroeger zelf dit soort toneel gespeeld. Hij speelde als kind in het oude Grand Theater in het centrum.'

'Ga weg. Lionel is een anglofiel.'

'Ik heb het nagelezen,' verzekerde Silkowitz haar. 'In 1933 speelde hij het jongetje Shloymele in *Mirele Efros*. God, de mensen zouden dat eens te weten komen.'

De spelers, die hun spullen aan het pakken waren, lachten. Was dit weer een van Silkowitz' showbizgrappen? Maar Matt zat nog steeds te piekeren over de man in de coulissen. Hij had zichzelf ongezonde waanbeelden aangepraat. Frances kon weleens gelijk hebben. Wat ze zei was heel aannemelijk. Gewoon een insluiper. Een dakloze die een warm plekje zocht om de nacht door te brengen. Een zuiplap die zijn behoefte moest doen. Of een toneelknecht die de sigarettenvoorraad plunderde. Een gordijn, een touw, wat dan ook, iets dat heen en weer slingerde in een tochtvlaag van een kier in de zoldering. Aan het eind van de dag was het theater uitgestorven en lag achter de coulissen slechts het duister op de loer.

Aan de andere kant: hij wist wie het was. Hij wist het gewoon. Het was die oude kerel. Het was Eli Miller, die was opgestaan van het fluwelen toneelgordijn op zijn bed in het Tehuis voor Bejaarde Kinderen van Israël, en met bus M4 hierheen gekomen.

Lionel zou woord houden. Die zou niet komen kijken. Daar had Matt zo zijn eigen gedachten over, die nogal verschilden van die van Silkowitz. Matt als Lear! Min of meer dan toch. Lionel had Matt nooit een hoofdrol gegeven. Nu zou hij zijn ongelijk moeten toegeven. Sprak vanzelf dat hij zijn gezicht niet ging laten zien. Dankzij Marlene Miller-Weinstock – die het leven van haar vader had opgevreten, verteerd en weer uitgebraakt in de vorm van een imitatie-Lear – was het nu Matt die het laatst lachte.

99

In de beslagen spiegel van de kleedkamer, waar hij zich tijdens de pauze zat voor te bereiden op het tweede bedrijf, borstelde hij zijn wenkbrauwen op met schmink en mastiek en gooide te veel talk op zijn baard – de excessen en ongelukjes van een premièreavond. Hij trok zijn net gepoetste schoenen uit, stond op blote voeten en trok zijn kostuum aan: een voddige pij. Boetekleed. Zijn lip trilde. Hij bekeek het gelaat in de spiegel. Dat was hijzelf, zijn eigen angstaanjagende hoofd. Hij leek op hoe hij zich Job herinnerde – ziek, gevallen, vernederd. Als de schoenlapper hem nu zag, zou hij er nog eens honderd jaar bij optellen.

Het eerste bedrijf was niet op de klippen gelopen. Silkowitz was de hele tijd bang geweest dat het publiek, niet gewend aan de theatrale speelstijl – hard, vet, brutaal, schreeuwerig – zou denken dat het komisch bedoeld was. Hij zat vol angst te wachten op de eerste eenzame lach. Een siddering in de punt van de staart, een huivering die doortrekt naar de tong van het serpent. Een zaal vol publiek is een monster, één groot trillend geheel, een beweeglijke amoebe zonder kern. Een licht gegrinnik ergens in het lijf kan de aanzet zijn voor onbedaarlijke lachsalvo's alom, van orkestbak tot balkon. Dat had de regisseur ze telkens streng voorgehouden, wijzend op de gevaren. Matt sloot altijd de oren voor die gemeenplaatsen. De man wist van geen ophouden: beschouw jezelf, had Silkowitz gepredikt, als zo'n oude Griekse toneelspeler op stelten, met grote, opvallende maskers; de stukken van het oude Athene en van het vooroorlogse 2nd Avenue zijn bloedverwanten, neef en nicht. Kracht en passie! Passie en kracht!

Kregen ze het voor elkaar? Gedurende het hele eerste bedrijf was van het publiek slechts de ademhaling te horen.

Silkowitz kwam de kleedkamer in, zwetend en met dat typische lichte gehijg van hem. Matt keerde hem de rug toe.

Een inbreuk. Een indringer. Hoe zat het met het gebod dat de concentratie van de acteur tijdens de voorstelling heilig was? Wist die dwaas van een Silkowitz niet beter? Een scheur in de voorhang van zijn hoofd. Matt was net bezig het af te sluiten, zijn hoofd; hij duwde het de afzondering in, die geheime kamer in, vol tapijten en weelderige gordijnen. Hij maakte zich op om in zijn brul te stappen, en hier kwam Silkowitz ineens, zwetend, hijgend, overbodig, wat kwam hij doen, de dwaas?

'Ik moest je dit geven van je vrouw.' Silkowitz gaf hem een opgevouwen papiertje. Hij zag dat het een bladzijde was uit het aantekenboekje dat Frances altijd in haar handtas had. Om woorden in te verzamelen.

'Niet nu. Ik wil dit nu niet.' De dwaas!

'Ze stond erop,' zei Silkowitz, en glipte de deur weer uit. Hij leek bang. Voor het eerst maakte hij een respectvolle indruk. Matt voelde zijn eigen kracht. Zijn brul zat al in zijn keel. Wat voerde Frances in haar schild? Inbreuk, indringer!

'Metameer,' las hij, 'oribi', 'glyptiek', 'matrilineaal' – allemaal in Frances' keurige kleine vulpenletters. Maar een paar centimeter daaronder een haastige potloodkrabbel: 'Let op. Ik heb hem gezien. Hij is er.'

Ze had zelf gekozen waar ze zou zitten: eerste rij balkon, een arendsnest van waaruit ze de recensenten goed kon zien en het gemompel, gezucht en gefluister kon opvangen. Ze wilde de zaal bespioneren, kijken wie er wel en niet waren. Aha: dan was Lionel er dus toch. Hij zat in de zaal. Hij was wel gekomen – uit rivaliteit. Uit jaloezie. Omdat het gonsde rond deze voorstelling. Om te kijken hoe het ervoor stond met Silkowitz. Een oude regisseur die kwam kijken bij een jongere: ouderdom, angst, verdringing. Ze zeiden dat Lionel op zijn retour was; ze zeiden dat die kleine Teddy Silkowitz, die voor een habbekrats voorstellingen zat uit te broeden in een bezemkast boven een seksshop, helemaal je dát was. Dus zat Lionel daar, Lionel die Matt op auditie liet komen, die hem vernederde, die hem de rol van de ouwe sok gaf, een bijrolletje in de laatste scène van een flutstuk uit Londen.

Wat vliegen voor dart'le knapen zijn,
zijn wij voor goden: ons doden is hun spel.
En ongekleed is geen mens meer dan u, zo'n arm,
naakt schepsel, van onderen gevorkt.

Lear op de hei – nu zou Lionel eens zien welke rollen er nog allemaal waren voor ouwe kerels, en hoe Matt die speelde!

Maar Lionel zat daar niet. Die zou niet komen voor Silkowitz, of voor Matt. Dat begreep Matt maar al te goed. Frances had iemand anders gezien.

Hij kwam op in het tweede bedrijf. Het decor was abstract, allerlei in stoffen gewikkelde houten vormen die de stad moesten symboliseren. Silkowitz had de hei naar Broadway verplaatst. Maar er klonk geen lach, geen kuchje. Het was evengoed Lear, verraden door zijn dochter, in een storm, half waanzinnig, speelbal van de goden; een armzalig, naakt, van onderen gevorkt schepsel, dakloos, barrevoets, schreeuwend in de sneeuw, verkommerend in de goot van de grote stad. De nepsneeuw dwarrelde op hem neer. Uit Matts keel klonk zijn goddeloos gebrul; oude vergeten ballingschappen braakte hij uit, oude verwoeste steden, Constantinopel, Alexandrië, gevallen koninkrijken, verdreven haveloze vluchtelingen, verre ashopen, ongeboren dochters, Frances' verdorde eicellen en lege baarmoeder, het woest bulderende kanon van de menselijke hartslag.

Gerucht in de zaal. Verwarring, nog meer geluid. Matt liep verder naar voren op het toneel, verblind door het voetlicht, probeerde er doorheen te turen. Door de middengang stampvoette een zwarte gedaante krijsend naar het podium. Drie treden naar het podium. De gedaante denderde de treden op. Het was Eli Miller in een versleten cape, zwaaiend met een wandelstok.

'Zo moet het niet! Zo moet het niet!' gilde Eli Miller, en hij zette elk woord kracht bij met een dreun van zijn stok op het podium. 'Leugenaars, dieven, vervuilers! In de moedertaal, vanuit het hart, niet door zo'n charlatan!' Hij stampvoette op Matt af, die zijn adem kon ruiken. Die rook naar meel. Matt zag het blauwe en het dode oog.

'Jacob Adler, díe kon er wat van! Niet dit hier! Zo moet het niet, neem dat van Eli Miller aan! Jullie zijn er niet bij geweest, jullie hebben het nooit gezien of gehoord!' Met zijn oude slagersarm hief hij de wandelstok. 'Mensen,' riep hij, 'luister naar Eli Miller, u wordt hier bij de neus genomen, het is boerenbedrog! Vuiligheid! Niemand weet nog hoe het was! Mijn dochter, dames en heren, ze was nog niet eens geboren, middelmaat! Eli Miller zegt u: zo moet het niet!'

Hij richtte zich weer tot Matt. 'Jij, noem jij jezelf acteur? Jij met je stem van niks? Jacob Adler, die kon donderen, jij met je stem van niks jij kunt niet donderen! Maurice Schwartz, het Yiddish Art Theater, hier om de hoek was dat, daar deden ze alles prachtig, Gordin, één keer zelfs Herzl, Hirschbein, Leivick, Ibsen, Molière. Lear! En wie daar bij is geweest, wie de Lear van Jacob Adler heeft gezien, wat die heeft gezien was niet van deze wereld!'

In een vloedgolf van gelach stond het publiek op om te applaudisseren – een vulkaanuitbarsting van applaus. De lach bleef aanzwellen. Silkowitz holde het podium op en trok de oude man eraf, de cape fladderend achter hem aan, zijn stok in de lucht, en maar roepen: Lear, Lear. Matt stond nog op zijn blote voeten te talmen, starend naar de fladderende cape en de zwaaiende stok, toen het doek viel en hem in duisternis hulde. Veel mensen in de zaal, zo vertelde Frances hem later, hadden moeten huilen van het lachen.

Fumicaro

Frank Castle wist alles. Hij was kunstcriticus, hij was boek-
recensent, hij schreef over politiek en moraal, hij schreef
overal over. Hij was journalist en werkte zowel voor de pers
als wekelijks voor de radio; hij schreef 'met gevoel', maar beroemde zich erop dat hij 'concreet' was. Hij was katholiek,
hij las kardinaal Newman en François Mauriac en Étienne
Gilson en Simone Weil en Jacques Maritain en Graham
Greene. Hij had The Heart of the Matter wel honderd keer her-
lezen en moest telkens huilen (Frank Castle kon huilen) om
de arme Scobie. Hij was een man van de eigen parochie en
hij bleef graag binnen de lijnen. Hij had weinig protestantse
en geen joodse vrienden. Hij zei dat hij geïnteresseerd was
in geluk en dat hij daarom graag katholiek was. Katholieken
maakten hem gelukkig.

Fumicaro maakte hem gelukkig. Om er te komen ging hij
in New York aan boord van een Italiaans lijnschip, de Benito
Mussolini. Het was een en al gepraat, maar bovenmatig nonchalant. Zelfs de dienstregeling was nonchalant en de moto-
ren van het schip lagen al een dag voor het inschepen te
grommen aan de kade. De gangen aan boord liepen over van
de lawaaierige flaneurs die knabbelden op belegde broodjes
waarvan het binnenste naar buiten droop (in al die chaos
hadden de venters zich van de kade naar binnen weten te
werken) en gekleurde bubbeldrankjes achteroversloegen.

Op het treinstation in Milaan vond hij een chauffeur die
hem, tegen een exorbitant tarief, naar Fumicaro wilde brengen. Hij was al uren over tijd. Hij moest naar de Villa Gari-

baldi, die door een filantroop uit Chicago was ingericht als centrum voor deugdzame conferenties. De fascisten meenden vanuit een loom soort plichtsbesef nu en dan te moeten ingrijpen, maar niet vaak; tot dan toe was alleen een conferentie van vlinderkenners weggestuurd. Een van de vlinderkenners was ervan beschuldigd dat hij niet-lepidopterologische informatie had verschaft aan antifascistische bendes die zich in de heuvels rond Fumicaro schuilhielden.

De taxirit had talloze verrassingen in petto: huizen van muisgrijze baksteen die Frank Castle alleen kende als typerend voor bepaalde buurten in de Bronx, elk met een karakteristiek vierhoekig dak en een strak in canvas gemummificeerde vijgenboom in de voortuin. Het was nog november maar niet koud, en de bermen langs de kringelende bergweg waren welig begroeid met paarse bloemen. Toen ze de klim inzetten begon de chauffeur wat te neuriën, vooral in de meest huiveringwekkende haarspeldbochten, en toen uit de tegenovergestelde richting een tweede auto in beeld sprong in een ruimte waarin er nog niet één leek te passen meende Frank Castle de dood nabij te zijn; toch kwamen ze er zonder gevaar langs en klommen hogerop. Het berglandschap nam geleidelijk toe in herbergzaamheid en gaf oude vormsnoeikunst te zien en verre vlekjes witte villa's.

In de Villa Garibaldi zaten de drie dozijn heren die zijn collega's moesten worden reeds aan het diner onder zilveren kroonluchters; er was geen tijd om hem eerst naar zijn kamer te brengen. Het gebrom van de stemmen ergerde hem enigszins, maar het gezelschap was hem niet volkomen vreemd. Hij herkende enkele kennissen uit de tijdschriftenwereld en drie, vier priesters, onder wie een publiekscharmeur die hij voor de radio had geïnterviewd. Na de conferentie – vier dagen, onder de titel 'De Kerk en hoe ze bekendstaat' – was vrijwel iedereen van plan door te reizen naar

Rome. Frank Castle wilde eerst naar Florence gaan (hij hoopte op een glimp van het portret van Thomas van Aquino in de San Marco) en dan door naar Rome, maar in plaats daarvan trad hij op de vierde dag volkomen onverwachts in het huwelijk.

Na het diner was er een traag verlopende bijeenkomst rond de enorme vergadertafel in de zaal naast het restaurant – Frank Castle was met honger aangekomen maar voelde zich nu overvoerd – waarna Mr. Wellborn, de Amerikaanse directeur, een van de bedienden (een vlotte kerel met een hol gezicht die Frank Castle aan tafel had bediend) de opdracht gaf hem naar het Koetshuis te brengen, het bijgebouw waar hij zou slapen. Het was inmiddels helemaal donker en ze moesten een geplaveid terras oversteken, een ijzeren trap afdalen en een kiezelpad volgen dat tussen hemelhoge heggen meanderde. De kelner neuriede net als de chauffeur en Frank Castle keek bezorgd of hij stevig stond. Maar ook nu was er geen gevaar, alleen een vreemde omgeving en een zo bekoorlijke geur dat zijn neusvleugels zich gretig verwijdden. De ingang van het Koetshuis was een innemend laag poortje. De bediende zette Frank Castles koffer op het grind onder de boog, overhandigde hem een grote, koude sleutel en wees een wenteltrap op. Toen ging hij neuriënd weg.

Boven aan de trap zag Frank Castle een groene deur, maar de sleutel had hij niet nodig: de deur stond open, het licht was aan. Wanorde: het bed onopgemaakt, al lag er op een stoel een stapeltje schone lakens. Een lege hangkast, een bureau zonder telefoon, een nachtkastje met daarop de brandende schaarlamp, een luide wekker en een schijnwerper, het plenzen van water in oproer. Het was het geluid van een toilet dat keer op keer werd doorgetrokken. De deur naar het toilet stond op een kier. Hij ging naar binnen en vond het kamermeisje op haar knieën, kokhalzend; vier dagen later zou ze zijn vrouw zijn.

Hij was nog vrij jong, maar niet zo jong dat hij plotselinge gebeurtenissen niet aankon. Hij was vijfendertig en zijn leven was grotendeels uit plotselinge gebeurtenissen gebloeid. Hij wist niet precies wat te doen maar hij greep een handdoek, hield die bij de wastafel onder de koude kraan en drukte hem tegen het voorhoofd van de knielende vrouw. Ze schudde hem met een dierlijk geluid af.

Hij ging op de rand van de badkuip zitten en keek naar haar. Hij voelde zich niet direct met haar begaan maar ze stond hem ook niet tegen. Het was alsof hij naar een waterval zat te kijken, iets van de natuur. Alleen de geur was onnatuurlijk. Nu en dan keek ze op en wierp hem een woeste blik toe. *Wees nooit tevreden met wat u bent, opdat u moge worden wat u nog niet bent*, zei hij tegen zichzelf, dat was van Augustinus. Het kwam hem passend voor dat hij er juist op dit moment aan dacht. De vrouw ging door met overgeven. Een straal kleurloos bitter geurend vocht golfde uit haar mond. Hij keek stil toe en dacht aan een of andere beroemde fontein met dolfijnen, of anders kleine cherubijnen, die bruisend wit water uit hun bodemloze keel opspuwen. Hij zag haar schaamteloos: ze was een stevige kleine nimf. Ze was de rauwe muze van Italië. Hij zei in zichzelf de zin op: *Stel dat voor iemand de ophef des vlezes eens was gestild, gestild ook de voorstellingen van aarde, waters en lucht, dat het uitspansel tot zwijgen kwam...*

Ze reikte met een hand naar achter en greep de staart die over haar rug lag. Haar nek, nu ontbloot, dreef van het zweet en ook van de tranen die langs haar mond omlaag dropen. Het was een korte, stevige nek, als de steel van een champignon.

'Gaat het?' vroeg hij.

Ze kwam met haar knieën van de vloer en ging op haar hurken zitten. Nu ze zich ervan had teruggetrokken, zag hij de vorm van de toiletpot. Die zag er in zijn ogen uitheems uit: hoog, veel hoger dan het Amerikaanse model, en smal. Het porseleinen deksel, overeind gezet, glom als een spiegel. De doek waarmee ze het aan het poetsen was geweest lag verloren in haar schoot.

Nu begon ze te hikken.

'Is het over?'

Ze leunde met haar voorhoofd tegen de zuil van de wastafel. Het licht was niet goed: het moest de hele afstand afleggen van de lamp op het nachtkastje in de slaapkamer en zwakte onderweg af; niettemin leek ze rood aangelopen. Haar lippen waren vast opgezwollen, dat ze zo bol stonden kon niet de bedoeling zijn. Hij meende te begrijpen hoe een gezicht als het hare eigenlijk ontworpen had moeten zijn. Nu haar hoofd tegen de witte kolom van de wasbak rustte, zag ze eruit (deze woorden sprak hij langzaam en zorgvuldig in zichzelf uit, zo lang en helder was het moment voor hem) als een engel gezien tegen de albasten zuil die het firmament draagt. Ze hikte luid en frequent; ze schokte met haar schouders, toch viel de engel niet.

Ze zei: '*Le dispiace se mi siedo qui? Sono molto stanca.*'

De zinloze klanken – het was zijn eerste dag in Italië – maakten hem bewust van zijn versteende blik. Zijn eigen hoofd voelde aan als steen: was ze een Medusa? – die lange slangen van haar spuug. Hij bedacht dat hij vrij kalm was begonnen, maar nu een stuk minder kalm was. Sterker: hij zat uit alle macht te staren, als een standbeeld, met een ongerichte en onthechte, starre blik, en dat was dwaas. Er stond een glas op het plankje boven de wastafel. Hij stond op en stapte over haar voeten (de gewaarwording van zichzelf als een grote triomfboog die zijn schaduw over haar lichaam wierp) en vulde het glas met water uit de kraan en gaf het haar.

Ze dronk haastig als een kind, geconcentreerd. Hij kon

haar keel horen klokken en slikken in zijn hengsel, en verder klokken. Toen ze het glas leeg had, zei ze: '*Molto gentile da parte sua. Mi sento così da ieri. È solo un piccolo problema.*' Direct zag ze hoe het voor hem was: hij was een buitenlander en kon haar niet verstaan. Het besef wierp een wolk van ongerustheid over haar ogen. Ze zei hardop '*Scusi*' en schakelde over op een bondig soort Engels, zo zonderling als hij nog nooit had gehoord en zo verrassend dat ze het in zich had: 'Geloof niet!' Ze sprong op haar dikke benen op en liet haar staart hangen. '*Ho vomitato!*' riep ze uit – een strijdkreet opgeruwd met een triomfantelijke monterheid. De poetsdoek maakte zich los uit de plooien van haar wijde rok en gleed op de grond en net op dat moment, terwijl hij de volheid van haar kuiten in ogenschouw nam en hun wonderbaarlijke rondheid en zwaarte, leek ze onder zijn blik steeds lichter te worden, te ontsnappen aan de rauwe wilskracht die haar overeind had getrokken en zakte ineen als een lap stof, zonder geluid.

Haar oogleden waren dichtgeklapt. Hij tilde haar op en droeg haar – sjouwde haar – naar het bed en voelde aan haar pols. Ze leefde. Hij was nog nooit zo dicht bij een flauwgevallen persoon geweest. Als hij niet met eigen ogen had gezien hoe ze zichzelf in een ogenblik had uitgeschakeld, als een kraan die werd dichtgedraaid, was hij ervan overtuigd geweest dat de vrouw die hij op het naakte grijze matras had gelegd sliep.

Het raam bood slechts zicht op de avond en hielp hem even weinig als een dichtgetrokken jaloezie: geen licht, geen lucht, geen uitweg. Alleen de zoete grasgeuren van de donkere berghelling. Hij rende de stenen spiltrap half af naar beneden en dacht toen: stel je voor dat ze sterft terwijl ik weg ben. Ze was de kamermeid maar, een gezonde meid met vlezige en levenskrachtige wangen; hij wist dat ze niet zou sterven. Hij sloot de deur af en ging naast haar liggen in het licht van de lamp en streek met zijn pink langs haar slaap. Het was een wonderlijk soort weelde zich hier naast haar uit te strekken, zonder angst. Hij stelde zichzelf gerust dat ze wakker zou worden, niet sterven.

Hij was in een staat van spiritualiteit. Hij was bijna een half jaar kuis gebleven en had zichzelf een veeleisende zuiverheid opgelegd, ook als hij alleen was, ook in zijn geheime gedachten. Zijn geest was een geheime grot, onberispelijk schoongeveegd en Spartaans. Het was een initiatie. Hij bereidde zich voor op de eerste stadia van een soort monnikenleven. Niet dat hij van plan was zich in een klooster terug te trekken: hij wist dat hij een man van de wereld was. Het was meer dat hij voor zichzelf een afgezonderde ruimte wilde maken, een bastion, verheven boven het lichaam. Hij had niet de hoop dat hij een heilige zou kunnen worden, maar hij wilde wel meer dan gewoon zijn, zonder 'abnormaal' te worden genoemd. Hij wilde eerst bezit van zichzelf nemen, zodat hij zich uit vrije wil kon overgeven aan de krachten van de geest.

Hier lag dus zijn beproeving. Het leek hem passend – voorbestemd – dat hij juist in Italië verleid en in verzoeking gebracht zou worden. De kleine versus de grotere vervoering: de vervoering in het lichaam en de vervoering in God, en hij had voor de grootsheid gekozen. Wie zou de oceaan niet verkiezen, met zijn door de hemel bespeelde getijden, boven een enkele druppel? Hij keek neer op het gezicht van de vrouw en zag twee natte zwarte druppels, elk een geopend oog.

'Bent u weer misselijk? Gaat het?' vroeg hij, en trok zijn pink terug.

'Non credo! Geloof niet!'

Die vreselijke woorden, in haar uitgeputte kraakstem, wekten in hem een begin van woede. Wat hij had gedaan, wat hij had verduurd om uiteindelijk tot het geloof te komen! En een kamermeisje, een toilettenpoets, kon er zo vrij tegenin roepen!

Hij begreep wat ze bedoelde: ze was ontzet, de schaamte dreef haar tranen naar buiten, ze verdronk in de absurditeit en de raadsels. Toch schokte het hem, en zette hem tegen haar op, want hij moest elke dag van zijn leven opnieuw deze zelfde pelgrimage naar het geloof maken, vanaf elke zonsopgang die aanbrak met het schelle hanengeschrei van ongeloof.

'Geloof niet! Geloof niet!' schreide ze naar hem.

'Hou daarmee op.'

Ze verhief zich op een pols en haar arm stond als een gebogen paal. 'Signore, mi scusi, ik maak de kamer –'

'Blijf daar.'

Ze gebaarde naar de stapel lakens op de stoel en viel weer terug.

'Weten ze dat u ziek bent? Weet meneer Wellborn het?'

Ze bracht moeizaam uit: 'Ik ben ziek twee dagen.' Ze tikte op haar buik en hikte. 'Ik ben niet ziek twee dagen als nu.'

Hij kon uit haar woorden niet opmaken of ze bedoelde dat het haar beter of slechter ging. 'Wilt u nog wat water?'

'Signore, grazie, geen water.'

'Waar slaapt u?' Hij vroeg niet waar ze woonde; hij kon zich niet voorstellen dat ze ergens woonde.

Haar blik, nog altijd vochtig, dreef naar het raam. 'In het dorp.'

'Dat is helemaal onder aan die lange weg die ik op ben gereden.'

'Sì.'

Hij dacht na. 'Werkt u altijd tot zo laat?'

'Signore, vanmorgen ik ziek ik niet maak de kamer, ik kom terug om te maak de kamer. Ik maak al de kamers,' –

haar ogen schoten in de richting van de Villa – 'alleen de kamer van signore niet.'

Hij liet zijn adem ontsnappen, een windvlaag die zo diep uit zijn ribben opwelde dat hij er versteld van stond. 'Ze weten niet waar u bent.' Het waren zijn eigen longen die hem onthutsten. 'U kunt hier blijven,' zei hij.

'O, signore, *grazie, nee –*'

'Blijf,' zei hij, en hief zijn pink op. Langzaam, heel langzaam, liet hij hem over haar voorhoofd glijden. Een late bries, zwaar van het luie aroma van een uitheemse nachtbloeier, had haar doen bekoelen. Hij proefde geen hitte in de kleine zoute holte tussen haar neus en haar mond. Het open raam bracht hem de geur van water. Gedurende de taxiklim naar de Villa Garibaldi had hij zichzelf nauwelijks een blik op het glinsterende oude Comomeer gegund, maar nu waren zijn neusvleugels vrij en vol: hij haalde de adem van het meer in terwijl hij de zijne weer liet gaan. Hij knoopte zijn overhemd los en veegde er elk hoekje van haar gezicht mee af, zelfs de binnenkant van haar oren; hij droogde haar paddestoelennek. Hij had het overhemd al aan sinds hij met de *Benito Mussolini* in Livorno voor anker was gegaan en tot aan Milaan, en vanaf het treinstation in Milaan tot Fumicaro. Hij had het twintig uur gedragen. Het was inmiddels verzadigd van de Italiaanse uitwasemingen, het zweet van Milaan.

Toen hij over Milaan sprak, duwde ze zijn overhemd weg. Haar moeder, zei ze, woonde in Milaan. Zij werkte in Hotel Duomo, tegenover de kathedraal. Iedereen noemde haar Caterina, al heette ze niet zo. Het was de naam van het vorige kamermeisje, dat was getrouwd en vertrokken. Zo deden ze dat in Milaan. Zo werden kamermeisjes er behandeld. Het Duomo was een toeristenhotel, er kwamen veel Amerikanen en Engelsen; haar moeder kon vlot overweg met buitenlandse klanken. Haar moeder sprak heel goed Engels, heel snel; ze beweerde dat ze het uit een boek had geleerd. Een Amerikaan had haar een tweetalig woordenboek gegeven, om te houden, als een soort fooi.

Vriendelijk waren ze niet in Milaan. Ze zaten zo ver in het noorden dat de mensen er net Duitsers waren, of Zwitsers. Ze kookten als de Zwitsers en hun hart was koud, net als de Duitsers. Zelfs de priesters waren koud. Ze spraken gewone woorden zo vreemd uit; ze beschuldigden Caterina van een ondeugd die ze 'dialect' noemden, maar die ondeugd zat in henzelf, niet in haar. Caterina had een dochter die ze in Calabrië had achtergelaten. De dochter woonde bij Caterina's oude moeder, maar toen de dochter dertien was had Caterina haar naar het noorden, naar Milaan ontboden om in het hotel te komen werken. De dochter heette Viviana Teresa Accenno, en zij was degene die nu ongelovig in Frank Castles bed lag in het Koetshuis van de Villa Garibaldi. Met dertien was Viviana erg klein en zag ze er niet ouder uit dan negen of tien. De directeur van het Duomo had haar helemaal niet willen aannemen maar Caterina had aangedrongen, dus had hij het meisje in de keuken geplaatst om de koks te helpen. Ze waste selderij en broccoli, ze waste het zand uit de spinazie en sla. Ze reikte met de stoffer onder het fornuis en erachter, holtes waar niemand bij kon. Haar arm was toen nog een kleine stok om mee te poken. Anders dan Caterina zag ze zelden Amerikanen of Engelsen. Ondanks het tweetalig woordenboek dacht Viviana niet dat haar moeder wat dan ook kon lezen – Caterina had gewoon een snelle tong, dat was het. Caterina bewaarde het woordenboek onder in haar klerenkast en soms haalde ze het eruit en klemde het tegen haar borst, maar ze keek er nooit in. Toch was haar Engels heel goed, en ze probeerde het Viviana te leren. Viviana kon zichzelf verstaanbaar maken, ze kon zeggen wat ze moest, maar ze had nooit Engels leren spreken als Caterina.

Omdat ze zo goed Engels sprak raakte Caterina bevriend met de toeristen. Ze gaven haar cadeaus: zijden sjaals en doosjes gemaakt van olijfhout, met een kruisbeeld liggend op katoenfluweel, al die prullen die toeristen leuk vinden, en in ruil ervoor nam ze 's avonds groepen mee uit; vaak gaven ze haar geld. Ze nam ze mee naar achterafrestaurants in buurten die ze zelf nooit hadden gevonden en naar een handige jonge schoenmaker die ze kende en die overdag in een schoenfabriek werkte maar 's avonds voor eigen rekening maatschoenen maakte. Hij sneed het leer op maandag en dan had hij woensdag de nieuwe schoenen klaar, de laatste mode voor de dames en voor de heren brogues zo gekleed en degelijk als iemand zich maar kon wensen. Zo laag als zijn prijzen waren, zo voortreffelijk was zijn vakmanschap. De toeristen dachten allemaal dat hij het leer achteroverdrukte in de fabriek, maar Caterina stond in voor zijn rechtschapenheid en verzekerde hen dat zoiets onmogelijk was. Zijn jaszakken waren zwaar van de stukken leer in allerlei vormen en ook riemen en gespen en kleine kurkflesjes verf.

Caterina wist allemaal van die dingen om het toeristen naar de zin te maken, maar ze wilde niet hebben dat Viviana er iets van leerde. Elk jaar met Pasen moest Viviana van haar een hele week terug naar de grootmoeder in Calabrië en als Viviana dan terugkwam had Caterina een nieuwe Paasman. Ze had altijd een aparte Milanese echtgenoot gehad, zelfs toen haar Calabrische echtgenoot, Viviana's vader, nog leefde. Het was geen bigamie, niet alleen omdat Caterina's Calabrische echtgenoot lang geleden was gestorven, maar ook omdat Caterina strikt gesproken nooit officieel met haar Milanese echtgenoot was getrouwd. Niet dat Caterina geen respect had voor de priesters; elke dag stak ze de straat en de piazza over naar de kathedraal en knielde er in het middenschip, zo breed als een weiland zonder gras of zon. De vloer was gewijd door de botten van een heilige, opgesloten in een doos voor het altaar. Al de priesters kenden haar en probeerden haar te overreden om met de Paasman te trouwen en ze beloofde telkens dat ze het heel gauw zou doen. En zij op hun beurt beloofden haar een sluiproute: als ze maar goede wil en oprecht geloof toonde, kon ze van de ene op de andere dag een fatsoenlijke echtgenote worden.

Maar ze deed het niet en na verloop van tijd begreep Viviana waarom: de Paasman wisselde steeds van hoofd. Soms had hij één hoofd, soms een ander, soms weer het eerste. Afgezien van de hoofden was de Paasman onveranderlijk broodmager, van zijn adamsappel helemaal tot zijn uitsloverige laarzen. Eén keer droeg de Paasman het hoofd van de schoenmaker, maar hem had Caterina het huis uit gegooid. Ze zei dat hij een dief was. Een zilveren crucifix die ze cadeau had gekregen van een Schotse predikant was onder uit haar kast verdwenen, hoewel het tweetalig woordenboek er nog lag. Maar de schoenmaker kwam terug met het nieuws dat hij een neef had in Fumicaro en dat ze kamermeisjes zochten voor de Amerikaanse villa daar, dus besloot Caterina haar dochter, die inmiddels zestien was en vlees op haar billen had gekregen, daarheen te sturen. Een onschuldig meisje kon daar veiliger geld verdienen dan in Milaan, zei Caterina.

En net op dat moment stierf haar grootmoeder, dus reisden Caterina en Viviana en de schoenmaker samen naar Calabrië voor de begrafenis. Die avond, in het kleine huisje van de grootmoeder, beleefde Viviana een merkwaardig avontuur, al was het in feite niet meer dan een natuurverschijnsel; het voelde alleen merkwaardig aan omdat het nooit eerder was gebeurd, maar ze was er altijd vanuit gegaan dat het op een dag zou gebeuren. De schoenmaker en Caterina lagen ineengefrommeld in het groezelige bed van de grootmoeder. Caterina lag snikkend wakker: ze verklaarde dat ze een zwerfhond in de goot was, ze was nergens thuis, ze was een vrouw zonder plek, eerst weduwe, nu wees en moeder van een wees. Die pompeuze priesters in de kathedraal konden niet begrijpen hoe het was om al zo lang weduwe te zijn. Als een vrouw die al jarenlang weduwe is, die gewend is voor zichzelf te zorgen, gaat trouwen, staan ze niet meer toe dat ze voor zichzelf zorgt en wordt ze als vrouw van een arme man nog armer dan als weduwe. Wat kunnen priesters, die holle vaten, die castraten, weten van het werkelijke leven van een arme vrouw? Aldus jammerend viel Caterina onbedoeld in slaap en de schoenmaker met zijn graatmagere schaduw gleed uit het bed van de grootmoeder en zwierf rond naar de hoek waar Viviana sliep, hoewel ze nu zo klaarwakker was als maar mogelijk, in haar ledikantje bij de haard, een ledikantje dat overdag werd toegedekt met een rozerode sprei met franje en gehaakte kussens met vlinderpatronen. De grootmoeder had Viviana 's avonds met de mooie kussens laten knuffelen alsof het poppen waren. Viviana's oogleden waren stijf gesloten. Ze stelde zich voor dat de botten van de heilige waren opgerezen van hun altaar in het noorden en naar haar toe schuifelden in het donker. Caterina's adem stroomde rumoerig door de tunnel van haar keel en Viviana drukte haar gesloten ogen neer op de vlinders. Als ze minutenlang bleef drukken, leken ze met hun vleugeltjes te gaan fladderen. Ze kon hun vleugeltjes laten fladderen, alleen door erop te drukken. Het was alsof ze de schoenmaker ook zo aan het rillen maakte nu hij naderbij kwam, precies op diezelfde manier; haar wil verzette zich ertegen, natuurlijk, toch sidderde hij nu vlak bij het ledikant. Hij had zijn onderhemd aan en zijn benige glimlach op en hij huiverde, hoewel het pas september was en de bomen met hun koolkruinen in haar oma's achtertuin er in de Calabrische warmte weelderig bij stonden.

Hierna was ze in Fumicaro komen werken als kamermeid

in de Villa Garibaldi; ze had haar moeder niets gezegd van waar de schoenmaker zijn benen en armen had gelaten, en niet alleen omdat hij haar zijn zwaar beslagen riem had laten zien. Het was niet de schuld van de schoenmaker, het was de schuld van haar rouwende moeder, want als Caterina zichzelf niet had uitgeput met jammeren, had de schoenmaker zijn echtelijke zaken langs de gebruikelijke weg afgehandeld, met Caterina, en nu had hij het in plaats daarvan met Viviana moeten doen. Alle mannen moeten echtelijke zaken doen, al zijn ze niet echt getrouwd; zo zijn mannen. Zo bent u ook, signore, Amerikaan, toerist.

Dat was waar. Binnen twee uur was Frank Castle de minnaar van een kind geworden. Hij had haar naar zijn bed gedragen en haar verhaal uit haar gelokt, eerst met de tocht van zijn pink over haar voorhoofd. Toen had hij zijn pink verder laten zwerven, en verder, tot haar zweet terugkwam en hij zelf begon te zweten; het raam op de zwarte nacht gaf ze niet genoeg lucht. Lucht! Het was als ademhalen door een rietje. Hij trok de sleutel uit de deur en leidde haar, beiden blootsvoets, de krullende trap af en het grind op, de poort door. Er was geen maan, alleen een wittige mist die laag over de grond gleed, ongrijpbaar: soms was hij er, soms niet. Aan de voet van de onzichtbare berg, onder de lange, harige flank van de helling strekte het Comomeer zich uit als een opgespelde lap zwarte zijde. Boven hun hoofd prikkelde een melkweg, hoewel misschien niet: lichten van villa's hoog op de berg, scherven van sterren – in zo'n zwarte nacht was het verschil niet te onderscheiden. Ze wees naar ver weg, aan de overkant van het meer: zwarte leegte. Toch stond daar, zei ze, het rozige paleis van Il Duce, gevuld met vijfenzeventig fascistische dienaren en honderd soldaten die nooit sliepen.

Na het ontbijt, in de eerste ochtendbijeenkomst, gaf een jonge priester een lezing. Hij scheen het thema van de conferentie – public relations – te zijn vergeten en sprak devoot, onlogisch. Zijn onderwerp was zuiverheid. Het vlees is heilig brood, zei hij, als het offerbrood van de Israëlieten, bedoeld om gewijd te worden aan God. Het louter gebruiken voor menselijk genot is een ontering. De woorden ontstaken een vuur in Frank Castle: hij had Viviana opgedragen zijn kamer tot het laatst te bewaren en er die middag op hem te wachten. Om vier uur, na de derde bijeenkomst van de dag, toen de anderen de berg afdaalden – de deelnemers was een tocht in een motorboot over het meer beloofd – beklom hij de trap naar de groene deur van het Koetshuis en nam het kind weer bij zich in bed.

Hij wist dat hij aangestoken was. Hij voelde dat zijn verstand aan het wankelen was gebracht, gestoord. Hij kon geen genoeg krijgen van deze vrouw, deze baby. Ze kwam na het diner weer bij hem, toen moest hij de avondbijeenkomst bijwonen, tot tien uur, daarna lag ze weer in zijn bed. Ze was volmaakt gezond. Hij vroeg haar naar de misselijkheid. Ze zei dat die weg was, behalve een heel lichte oprisping eerder op de dag; ze was hersteld. Hij kon niet begrijpen waarom ze zich op deze manier aan hem overgaf. Ze deed alles wat hij haar zei. Het enige waar ze bang voor was, was dat ze Guido, de assistent van meneer Wellborn, onderweg naar het Koetshuis zou tegenkomen: Guido was degene die bijhield welke kamers klaar waren en welke nog gedaan moesten worden, en in welke volgorde. Haar taak was de bedden opmaken en de handdoeken verwisselen en de vloeren en het bad schoonmaken. Guido wilde dat ze het Koetshuis eerst deed. Het was makkelijk voor haar om het Koetshuis voor het laatst te bewaren, want er waren maar twee kamers en de andere stond leeg. De persoon die de andere kamer zou innemen was nog niet gearriveerd. Hij had geen brief of telegram gestuurd. Guido had Viviana opdracht gegeven de lege kamer toch bij te houden, voor het geval hij plotseling zijn opwachting zou maken. Meneer Wellborn verwachtte hem nog steeds, wie hij ook was.

De derde dag, na de lunch, was het Frank Castles beurt om te spreken. Hij was op de keper beschouwd maar een journalist, zei hij. Zijn thema was niet zozeer theologisch of filosofisch, integendeel: het was niet meer dan een samenvatting van een reeks radio-interviews die hij met bekeerlingen had gehouden. Hij zou proberen, zo zei hij, om een groepsportret van hen te schetsen. Als er één kenmerk was dat ze allemaal gemeen hadden, dan was het wat Jacques Maritain had benoemd als 'de indruk dat het kwaad werkelijk en wezenlijk iemand is'. Anders gezegd: ze waren mannen en vrouwen die oog in oog met demonen hadden gestaan. Laat ons niet veronderstellen, zei Frank Castle, dat het – in het begin – de liefde voor Christus is die een ziel in de armen van Christus drijft. Het is angst, zonde, kwaad, de werkelijke kennismaking met de Tegenstander. Aan de voet van de weg naar Christus staat de Duivel, net zoals Judas nodig was om de weg naar de verlossing te openen.

Hij sprak dertig minuten, besloot zijn lezing voor een grotendeels verlaten zaal en dacht dat hij te beeldsprakerig was geweest; hij had het meer bij de psychologie moeten houden, dit was een modern publiek. Ze hadden allemaal, zelfs de priesters, de huid van de wereld leren kennen. Hij vermoedde dat ze waren vertrokken om de berg af te dalen naar het middaglicht in het dorp. Er was een winkeltje met warme chocola, gebak en ansichtkaarten van Fumicaro: groepjes daken met rode dakpannen en daarachter, als verre ijshoorntjes, de Alpen, alsof je met je voeten in Italië was en met je blik in Zwitserland. Om de hoek van de zaak met de warme chocola, hoorde hij de anderen zeggen, was er een winkeltje maat schoenendoos, met een rinkelende bel, dat je gemakkelijk over het hoofd zou zien als je er niet van wist. Je kon er leren portefeuilles kopen en handtasjes, ook van leer, en sjaals en dassen met *seta pura* op het label. Maar wat zijn collega's werkelijk naar het dorp trok was het Comomeer. Aan die glorieuze schijf van een meer te staan! Het had ze gisteren gewenkt. Het wenkte vandaag. Het lokte eindeloos. De verrukking van het gladde, zondoorschoten oppervlak, glinsterend als een reusachtige munt. De zaal was erheen leeggelopen; hij raakte er niet ontstemd of ontevreden van. Hij was niet naar Fumicaro gekomen om te laten zien hoe slim hij kon zijn (bijna al deze kerels waren slim) of hoe devoot; hij wist dat hij niet devoot genoeg was. Ook niet om nieuwe verzakingen te ontdekken en niet om anderen vliegen af te vangen. En zelfs niet om op de proef gesteld te worden. Hij was zulke beproevingen voorbij. Hij was niet bezweken voor de verleiding maar voor het geluk. Geluk, geluk in Fumicaro! Hij was, zag hij in, niet naar Fumicaro gestuurd voor de Kerk – of althans indirect voor de Kerk, zoals de conferentiebrochure had beloofd – maar voor de daadwerkelijke redding van één ziel in nood.

Ze wachtte weer op hem. Hij werd doorboord door twee machten: de macht van de vreugde, de macht van macht. Ze was gehoorzaam, ze was zijn eigen kleine non. De volheid van haar kuiten deed hem denken aan ronde broden, broden als koepels. Ze vroeg hem – in zekere zin was dat opmerkelijk – of zijn toespraak een succes was geweest. Zijn 'toespraak'. Een 'succes'. Ze was alert, schrander. Het was duidelijk dat ze een goed stel hersenen had. Ze had nu al bijgeleerd. Haar geest huppelde, bleef niet stilstaan, hij was als een klit die zich hechtte aan wat er maar langskwam. Frank Castle zei haar dat zijn lezing niet boeiend was bevonden. Zijn gehoor was weggedruppeld om naar het meer te gaan kijken. Ze wilde er direct met hem naartoe, niet door het dorp, met zijn verlokkingen voor de toeristen, maar langs een oud, grotendeels overwoekerd pad van keien dat van achter de Villa Garibaldi omlaag voerde naar de nauwelijks bezochte oever van het meer. Iemand van het keukenpersoneel had haar erover verteld. Frank Castle wilde wel, maar nog niet. Hij overwoog wie hij was; waar hij was. Een man in vuur en vlam. Hij vroeg haar nog eens of ze zich goed voelde. Alleen 's ochtends even niet, zei ze. Het verraste hem niet; hij was er klaar voor. Ze had drie bloedingen gemist, zei ze. Ze vermoedde dat ze het zaad van de schoenlapper in zich droeg, hoewel ze zich had gewassen en gewassen. Ze had zich vanbinnen gereinigd tot ze zo droog was als een heilige.

Ze lag met haar hoofd tegen zijn hals. Ze had een heel scherp profiel. Hij had haar gezicht honderd keer eerder gezien, in museums, aan de beschilderde muren van Romeinse villa's. De overgrote ogen met hun ovaal zwart schijnsel, de neus breed maar zo voortreffelijk symmetrisch, de bovenlip met zijn twee verrukkelijke uitstulpingen. Toch was ze op een merkwaardige manier niet knap. Dat kwam door haar kaste. Ze was een boerenkind. Haar huid was getaand, alsof er een blijvende bruine schaduw tegenaan was gevallen die maar deels licht doorliet. Over haar wangen strekte zich een donkere lens die hem heel precies inzicht gaf in de klaarheid van haar jeugd. Hij vond dat ze te gehoorzaam was; ze had geen trots. Deemoed stond haar schoonheid in de weg. Ze drukte haar mond in zijn hals en telde: *settembre, ottobre, novembre,* allemaal zonder bloeden.

Hij begon het begin van zijn plan uit te leggen: over een week of twee zou ze New York zien.

'New York! Geloof niet!' Ze lachte (en daar was haar gouden tand!) en hij lachte ook, vanwege zijn dwaasheid, zijn overmoed; hij lachte omdat hij nu werkelijk zijn verstand had verloren en zich overgaf aan een heilig geloof. Zij was hem geopenbaard, geknield nog wel; daaruit volgde dat hij was gezonden. Haar lach was een en al jeugd en klaarheid en opluchting – waar zij van gered was! Verlossing. Zijn lachen was clownerie: hij was een sjamaan. En inzicht: hij was een gek, gedreven als een gek, of een zwakzinnige.

'Maak je geen zorgen,' zei hij. 'Je komt er wel.'

Ze bleef lachen. 'Geloof niet! Geloof niet! *Dio, Dio!*' Ze lachte zich los van haar verwikkelingen: een meisje als zij, zonder man, met drie bloedingen zonder bloed, is, zei ze, '*kaputt*' – ze had het idioom uit de lucht geplukt. Voor haar was alleen nog plaats in de sloot. Nooit zou zij nog een echte echtgenoot vinden, niet in Fumicaro, niet in Milaan, niet thuis in Calabrië, nergens op Gods aarde waar de menselijke familie woonde. Niemand zou bij haar in de buurt komen. Ze zouden haar in de sloot gooien. Ze ging naar de hel. Kaputt. God had de Amerikaanse signore gestuurd om haar voor de poort van de hel weg te trekken.

Hij legde nog eens uit, langzaam (hij legde het zichzelf uit), op trage toon, met de eenvoudigste woorden die hij kon vinden, dat hij met haar zou trouwen en haar mee terug zou nemen naar Amerika. Naar New York.

'New York!' Ze geloofde hem wél; ze geloofde hem ogenblikkelijk. Haar vertrouwen was elektrisch. De hartslag van haar geloof klopte zich zijn ribbenkast binnen, fladderde er rond en stortte zijn snavel op zijn ruggengraat. Hij had niets over zichzelf te zeggen, hij was zijn eigen gevangene, hij zat in zijn eigen ribben te pikken. 'New York!' zei ze. Hiervoor had ze tot de Heilige Bambino gebeden. O nee, niet voor New York, ze had nooit voor Amerika gebeden, wie kon dat dromen!

Geloof niet: hij zou zichzelf aan een rotsblok ketenen en de zee in laten smijten om het ongeloof te verdrinken.

Daarom zou hij met Viviana Teresa Accenno trouwen. Het was zijn knieval. Het was de reden van zijn komst naar Italië, het was de reden van zijn komst naar het Koetshuis van de Villa Garibaldi. In heel Italië, misschien alleen al in Fumicaro, waren er tientallen arme jonge vrouwen in haar positie. Hij kon ze niet allemaal trouwen. Haar tragedie was een alledaags feit. Ze was een schrille aria in een oneindige opera. Het maakte geen verschil. Hij was naar dit meisje geleid. Nu vloeide de macht van hem in haar over; hij voelde het kloppen van haar dankbaarheid, hoe die haar voedde, hoe die hem strafte, hoe ze zich verwijdde voor hem, hoe potig ze was, hoe brutaal! Hij was in haar greep, zij was zijn slavin. Ze had de energie van de overgave en die maakte haar enkele ogenblikken zijn meesteres.

Hij keerde die dag niet terug naar de salons en kroonluchters van de Villa Garibaldi, niet voor de middagbijeenkomst en niet voor de avondbijeenkomst, en ook niet voor het avondmaal. Vanaf dat moment liep alles als kwik. Viviana haastte zich naar Guido om te melden dat ze vloerwas te kort kwam; hij gaf haar de sleutel van de voorraadkast, tevens wijnkelder. Ongedwongen Fumicaro! waar zulke combinaties de regel waren. Ze plukte er een fles van elk: was en wijn. Meneer Wellborn zag zulke kruimeldiefstal door de vingers, dat hield het personeel tevreden. Alleen Guido was streng. Dan nog was het voor haar een peulenschil om uit de keuken een groot vers brood en een bolle klomp kaas mee te smokkelen. Ze betraden de klimop die het pad bedekte onder de ramen van de statige hoge zaal met de vergadertafel zo lang als een weiland. Frank Castle kon het zangerige murmelen van de spreker van die middag horen. De zon stond laag maar stevig. Ze nam hem mee langs enorme dichtgemetselde bogen, zo hoog als de flatgebouwen in de stad.

Die lui in de keuken waren zo goedgelovig, die zeiden dat het een Romeins aquaduct was, maar geen verstandig mens geloofde dat hier ooit Romeinen hadden gewoond. Dat was *stupido*, een sprookje voor kinderen. Ze zeggen over de Romeinen dat ze geen God hadden, en de priesters hadden hen vast niet in het heilige Italië laten blijven als ze Jezus niet kenden, dus ze moeten ergens anders hebben gewoond. Ze geloofde best dat ze ooit hadden bestaan, de Romeinen, maar ergens anders. In Duitsland, misschien in Zwitserland. Maar nooit in Italië. De paus van die dagen had ongelovigen nooit toestemming gegeven om in een plaats als Fumicaro te wonen. Misschien in Napels! Ver in de diepte, onder hun voeten, ontwaarden ze een minieme spits: de klokkentoren van de oude kerk in Fumicaro. Frank Castle had al naar die toren gevraagd. Die was daar in de twaalfde eeuw neergezet. Wilde irissen benamen het zicht op het rotspad; het kronkelde omlaag en was zo smal en oneffen dat ze in ganzenpas moesten lopen. Ze kwamen niemand tegen. Ze hadden het pad voor zich alleen. Hij voelde zich gevleugeld, zo snel bereikten ze de oever. Het meer was helemaal van goud. Er lag een zonnebal in ondergedompeld, zo stil als de dooier van een ei, en het rode ei aan de horizon bewoog ook niet. Ze maakten zich een leger in een wildernis van doornstruiken en warrige bossen gras met lange stelen en dikke punten.

De wijn had de kleur van het licht, volmaakt helder en warm en heerlijk zuur. Hij had nog nooit zo'n diepe zuurheid genoten; had je een slok genomen en tot je laten doordringen, ging je de tweede kamer van de zuurheid binnen en werd hij plotseling appelig, een boomgaard die in hun mond uitbarstte. Ze hadden geen honger, ze braken nog geen kruimel van het brood of de kaas; daarvan zouden ze een middernachtsmaal maken en morgenvroeg zouden ze de melkman wat betalen en hij zou ze meenemen zo ver als hij kon. De rest van de reis zouden ze de bus nemen, net als gewone mensen. O, niet dat ze gewoon waren! En in Milaan zou Viviana haar moeder alles vertellen – alles behalve waar de schoenmaker zijn armen en benen had gelaten; ze zou niet eens over de schoenmaker beginnen – en Caterina zou ze over de piazza voorgaan naar de kathedraal en de priesters zouden hen trouwen via de sluiproute die ze Caterina en haar Paasman altijd hadden beloofd.

Het was bijna avond. Het meer had het rode ei opgeslokt, het was weg. Witte en roze vegen hingen tussen het water en de lucht. In het resterende licht kon de een nog net het gezicht van de ander zien. Ze gaven elkaar de fles wijn, over en weer, van hand tot hand, stommelend naar boven, nu en dan ver afdwalend van het pad, want de stenen lagen soms begraven. Een kleine verlaten schrijn versperde hun de weg. Het hoofd was afgesleten, de neus gebarsten. 'Dit moet een Romeinse weg zijn geweest,' zei hij tegen haar. 'Door de Romeinen aangelegd.'

'Geloof niet!' Het was hun levensmotto aan het worden.

De lucht voelde wonderbaarlijk zwaar en geurde naar water en struiken. Bijna om op te slurpen, zo vloeibaar dik. Ze kringelden omhoog en weerden de zweepslagen af van de begroeiing die uithaalde naar hun ogen. Ze kon niet ophouden met lachen en daardoor begon hij ook weer. Hij wist dat hij hoteldebotel was.

Recht voor hen leken de grassen uiteen te wijken. Geluiden, ruisen en ritselen en vreemd schurende klanken: geen twijfel mogelijk, de bosjes bewogen. De geluiden liepen met elke stap die ze zetten verder; de verstoorde bosjes en het grommend geschraap bleven hen steeds voor. Hij dacht aan de opstandelingen die zich naar verluidde verscholen in de bergen, schurken; hij dacht aan de kleine bergdieren die op zo'n plek konden rondscharrelen, een vos? Hij had geen idee wat de natuurlijke leefomgeving van vossen was. Toen kreeg hij, in het weinige schemerlicht dat resteerde, een silhouet in het oog dat aanmerkelijk groter en levenlozer was dan een vos. Het was een rechthoekig ding dat tegen de planten stootte en over de stenen schoof. Het leek vast te zitten aan een vale menselijke gestalte, breed maar zonder glinstering, ook in silhouet gezien.

'Hallo?' sprak een oudere Amerikaanse stem. 'Iemand daar die Engels spreekt?'

'Hallo,' riep Frank Castle.

Het rechthoekige ding was een koffer.

'Verdomde taxi heeft me onderaan afgezet. Zei dat ie in het donker de berg niet op wou. Vertrouwde z'n remmen niet. Vuile oplichter met zijn lamme smoezen – ik had hem betaald tot de voordeur. Dit kan trouwens niet de normale weg naar boven zijn.'

'Bent u op weg naar de Villa Garibaldi?'

'Drie dagen te laat ook nog. Hebt u daar iets mee te maken? O, geweldig vind ik dat, een slaapplaats vernoemd naar een nationale held.'

'Ik heb ermee te maken. Ik ben met de *Benito Mussolini* gekomen,' zei Frank Castle.

'Over geen oog dichtdoen gesproken. Ik ook. Heb u aan boord niet gezien. Niemand gezien. Aan de bar blijven zitten. Niet dat ik u nou kan zien, het wordt stikdonker. Weet bij god niet waar ik ben. En maar slepen met dit rotding. Hebt u daar een jongen bij u? Ik wil hem wel betalen om mijn koffer te sjouwen.'

Frank Castle stelde zichzelf voor, daar op de schuinte van de berghelling, op de Romeinse weg, in de holte van de avond. Hij stelde Viviana niet voor. Zo zou het heel zijn leven gaan. Ze trok zich van het stukje pad terug in de doornstruiken.

'Percy Nightingale,' zei de man. 'Dank u beleefd maar het geeft niet, als die jongen hem niet wil dragen doe ik het zelf wel. Luilakken. Hoe komt het dat u hier zo vrij rondloopt, drijven ze jullie niet in de kraal voor de toespraken?'

'U hebt die van mij gemist.'

'Ach, ik kom bij dit soort dingen liever niet te vroeg aan. Ik kan de boel des te beter samenvatten als ik niet te veel toespraken uitzit; ik schrijf een resumé voor de *Kaars voor alle Parochies*. Die schijnt in Brooklyn en Staten Island. Wat heb ik behalve u nog meer gemist?'

'Drie dagen inspiratie.'

'Inspiratie genoeg in Milaan, zal ik u zeggen. Goedkoop hotelletje met bar en doorzakken maar. En hoor eens, als je weer in Milaan komt moet je even bij *Het Laatste Avondmaal* gaan kijken – duurt niet lang meer. Bladdert af. Ik geef het nog vijftig jaar, hooguit. En sla in godsnaam die idiote *Pietà* niet over: half afgemaakt, warboel van armen en benen, dat geloof je niet. Extra benen in geprutst. Mijn god, wat nu weer?' Ze stonden pal voor een muur.

Viviana sprong midden op het stenen pad en zigzagde naar links. Kantelen verschenen: hoge buxushagen. Zonder enige waarschuwing waren ze vlak onder de ijzeren trap naar de keuken van de Villa Garibaldi uitgekomen.

Onder het klimmen zei de man met de koffer: 'Uw naam klinkt bekend. Heb ik u niet op de radio gehoord, wjz, die interviews met nieuwe celgenoten?'

'Nieuwe kerkgenoten.'

'Ik weet wat ik zeg.'

Viviana was in rook opgegaan.

'Bent u degene die meneer Wellborn verwacht?'

'Meneer wie?'

'Wellborn,' zei Frank Castle. 'De directeur. U kunt het beste eerst naar zijn kantoor gaan. Ik denk dat u de kamer naast mij heeft.'

'Bemin uw naaste als uzelf. Wellborn, klinkt niet als een pizzabakker.'

'Hij is een presbyteriaan uit New Jersey.'

'Ik ben zelf specialist. Niet dat ik ooit ben afgestudeerd. Ik ben gespecialiseerd in pizzabakkers en presbyterianen. Ad hoc en à la carte. Je moet iets doen om de kost te verdienen.'

In de olie, dacht Frank Castle. Toen herinnerde hij zich dat hij zelf dronken was. Hij tastte in zijn zak en zei met geduldige ergernis: 'Weet u, u kunt de avondbijeenkomst nog halen als u wilt. Hier, neem mijn programma, daar staat het rooster voor de hele conferentie in. Die hebben ze de eerste dag na de mis uitgedeeld.'

Percy Nightingale zei: 'Na de mis? De liturgie die jargon baart. Het verhevene bevalt van een kind dat je maar liever zo laat mogelijk gaat bekijken.'

Maar het was te donker om te lezen.

In het Koetshuis, achter de groene deur, begon Frank Castle met inpakken. De roes was vervlogen. Hij vroeg zich af of zijn bedwelmende idee – zijn gekte – ook zou vervliegen. Hij beproefde zijn wil: was die nog sterk? Hij had geen wil. Hij had geen doel. Hij wist niet wat hij dacht. Hij dacht niet aan een bruiloft. Hij voelde zich oneindig verbijsterd. Hij stond naar zijn overhemden te staren. Was Viviana weer de berg af gerend, naar Fumicaro, om haar spullen uit haar kamer te halen? Dat deel hadden ze niet gepland. Op de een of andere manier ging hij er voetstoots van uit dat ze geen bezittingen had, of dat haar bezittingen er niet toe deden, of onzichtbaar waren. Hij zag dat hij de zonde van het heldendom had begaan, die altijd aanneemt dat iedereen verder onecht is, het lijdend voorwerp van de redding voorop. Zij was het werktuig van zijn vleselijkheid, de vrouw die hem ten val bracht; niet meer, al was dat al te veel. Hij was te ver gegaan. Een vreemde, een boerendochter. Hij kon haar net zomin redden als zichzelf.

De deurknop draaide. Hij had nauwelijks een idee van wat hij haar zou zeggen. Ze was tenslotte een soort prostituee, de dochter van een soort prostituee. Hij wist niet precies wat dit voor vrouwen waren – bijverschijnselen, veronderstelde hij, van de geleidelijke wereldwijde trek van de agrarische klasse naar de stad. Hij begon zijn verstand terug te krijgen. Zij van haar kant was door en door verstandig. Een valkuil. Zulke vrouwen zijn altijd op zoek naar een gratis enkele reis naar de Nieuwe Wereld. Ze had hem in zijn kamer opgewacht – dat moest hem net overkomen – om te doen alsof ze misselijk was. Goed, ze had niet gedaan alsof, hij had gezien dat het echt was. Des te schaamtelozer. Een list, een strik, een strop. Met het beetje Engels dat ze kende was ze de lijst van deelnemers aan de conferentie nagegaan en had ze haar begerenswaardige prooi gevonden: een ongetrouwde man. De anderen waren allemaal getrouwd, dus bleven alleen de priesters en hijzelf over. Ze had haar huiswerk gedaan. Een verstandige meid die doet wat nodig is om te krijgen wat ze wil. Hij was bereid haar wat geld te geven, al was God zijn getuige dat hij niet zoveel bezat dat hij een uitgebreid filantropisch project op zijn schouders kon nemen. Zijn tijdschrift, de *Katholieke Revue*, vergoedde zijn onkosten, toch moest hij zuinig zijn. Ze had nooit verwacht dat hij zijn impulsieve verdwazing tot het eind zou volhouden, dat stond voor hem vast. Waar ze al die tijd op had gegokt was zijn opluchting, de opluchting die hij voelde nu hij tot inkeer was gekomen. Opluchting en bezinning, daar moest hij voor betalen. Gemoedelijke chantage. Hij dwong zich om te kijken naar de deur.

Daar stond Nightingale, vol nerveuze blijdschap en onrustbarend wit. Hij was tot dan toe niets anders geweest dan een oudemannenstem in de nacht, en in de mate waarin een stem een mens vertegenwoordigt had de zijne een vals beeld geschapen, hem totaal verkeerd voorgesteld. Hij was niets ouder dan Frank Castle en het was niet alleen dat hij verontrustend vaag was: zijn oren waren verbleekt, zijn mond was een rozige streep, zijn ogen, tot transparantie uitgespoeld blauw, waren bobbels in een gezicht zo plat als zink. Hij was bijna uitgewist. Zijn uiterlijk was een verrassing: van top tot teen wit en immens ingetogen. Zijn overhemd was wit, zijn dijen waren wit, zijn schoenen net zo en nog verlegener; hij cijferde zich weg. Hij had zijn broek al uitgetrokken en stond daar zonder luister of schijn. Uitgewassen tot Keltisch bleek. Frank Castle wist met al die tegenspraak tussen woorden en uiterlijk niet goed waar hij zijn vertrouwen in moest stellen.

'U hebt gelijk. Buren,' zei Nightingale. 'Hier is uw programma terug. Ik ben nu gezegend met een eigen exemplaar. Het is al een wonder op zich dat er mensen voor zoiets komen opdagen. Zelfs de priesters vallen erbij in slaap, niet dat je het verschil merkt met wanneer ze wakker zijn. Ikzelf kan best leven zonder' – hij schudde het foldertje open – 'moet u horen: "Benaderingen van dweperij", "Kerk en gemeenschap, noord, oost, zuid, west", "De diocesen Savannah, Georgia en Denver, Colorado vergeleken", "De parochie als hoeksteen"... Mijn god, ik wou dat ik naar bed kon.'

'Niemand dwingt u erbij te zijn,' zei Frank Castle.

'Moest er nog bij komen. Mijn samenvattingen zijn beter als ik te laat kom, dus dan worden ze pas echt goed als ik helemaal niet kom opdagen. Zeg, maar, ik heb graag wat gewicht op me als ik slaap. Wat voor weer of klimaat ook, al is het in de tropen, ik moet flink wat dekens hebben. Dat heb ik ze aan de balie gezegd en ze sturen de kamermeid. Die trouwens alle tijd van de wereld neemt. Geen wonder, als je die uithoek hier ziet waar ze ons in gezet hebben. Die anderen slapen als prinsen in het paleis. Ik ben het gewend, ik trek altijd aan het kortste eind, maar wat hebt u misdaan dat u niet in het grote huis zit? ... Hé, bent u aan het pakken?'

Was hij echt aan het pakken? Daar lagen zijn overhemden op een hoop, deels opgevouwen en deels nog niet, en zijn camera, daar lag zijn open koffer.

'Niet dat ik u ongelijk geef als u er vandoor gaat. Dat je het al drie dagen volhoudt.' Nightingale liet de folder op het bed vallen. 'U hebt uw penitentie gedaan. Zeker als u ook nog een duit in het toesprakenzakje hebt gedaan – en waarover?'

Voetstappen op de wenteltrap. Zware geitenstappen. Viviana, schuilgaand achter een stapel dekens. Ze wierp nog geen blik naar binnen.

'Interviews met nieuwe celgenoten,' zei Frank Castle.

Nightingale lachte hard – de stotende kreten van een havik, de streep van zijn lippen steels ingetrokken. Een schuiler. Roekeloosheid in oorlog met paniek. Frank Castle wantrouwde het een en geloofde het ander. Paniek. 'En wat vind je van die lui? In mijn familie zijn we al sinds Adam katholiek van de wieg tot het graf, misschien al eerder, maar ik heb catechismus gehad van pater Leopold Robin.'

'Nooit van gehoord.'

'Maakt niet uit. Geboren Rabinowitz.'

Frank Castle voelde zich warm worden. Heel licht duizelig. Het was dwaas om toe te geven aan merkwaardige aandoeningen, alleen omdat Viviana niet binnen had gekeken. Hij zei: 'Zou u de kamermeid' – het woord plakte aan zijn tong alsof het in iets kleverigs was gevallen – 'willen vragen hier langs te komen als ze met uw kamer klaar is? Ze hebben me geen schone handdoeken –'

'Een hele lezing over mensen die het licht hebben gezien? Hebt u gedaan? Is mij te vroom.'

'Wetenschappelijk. Met statistieken. Genoeg, zelfs voor een specialist. Hoeveel bekeerlingen per parochie, wat voor kenmerken, met wat voor achtergrond.' Maar hij luisterde naar de geluidjes in de kamer naast hem.

Nightingale zei: 'Clare Booth Luce. Heb je de kampioen.'

'Tegenwoordig komen ze van alle kanten. Vanwege de opkomst van de Duivel. Iedereen is bang voor de Duivel. Rijk of arm. Zacht of arrogant –'

'En wie is de Duivel? Ben jij een van die lui die denken dat Adolf de nieuwe Satan is? Hij neemt het tenminste op tegen de bolsjewieken.'

'Wat mij betreft kunt u ook de Duivel zijn,' zei Frank Castle.

'Beetje lichtgeraakt?'

'Nou ja, we hebben allemaal iets van de Duivel in ons.'

'Lichtgeraakt en vroom – vroom zei ik al. Nou zou je toch niet denken dat ze een jaar nodig hadden om een paar dekens op een bed te gooien! Oké, ik zal die meid naar je toe sturen.' Hij zette twee stappen de gang in en draaide zich om. 'Die pater Robin droeg de grootste crucifix die je ooit hebt gezien. Misschien leek ie alleen groot, ik was nog maar een kind. Maar zo gaat dat met die nieuwe celgenoten: ze hebben zichzelf veroordeeld dus ze nemen hun straf serieuzer dan wie ook. Roomser dan de paus, ik krijg er de kriebels van. Ze gedragen zich als pinkstergelovigen die onder stroom staan. Noem mij één bekeerling die geen appeltje met iemand te schillen heeft. Moordenaars zijn het, allemaal.'

'Moordenaars?'

'Ze vermoorden hun oude ik om een nieuw te krijgen. Bekering,' zei Nightingale, 'is wraak.'

'U vergeet Christus.'

'O God, Jezus. Ik vergeet Christus nooit. Hoe ben ik anders in deze godvergeten keet in dit godvergeten land terechtgekomen? Misschien weten de fascisten nog iets van die deegslierten hier te maken. Een stukje ruggengraat geven. Moet je die meid hebben? Ik roep 'r voor je.'

135

Eenmaal alleen liet Frank Castle zijn hoofd in zijn handen vallen. Met zijn ogen dicht staarde hij in het vlees van zijn oogleden en zag een werveling van gouden vlekjes. Hij had een man ontmoet die hij onmiddellijk verfoeide. Het kwam hem voor dat, het handjevol priesters niet meegerekend, iedereen hier hypocriet was, allemaal charlatans. En trouwens, de priesters net zo goed. PR-types. Journalisten, redacteuren. In vroeger tijden liepen deze lui op de markt aflaten te verkopen en te leuren met varkenshaar.

De kamermeid kwam binnen, een vleesloze niet begrijpende bonenstaak van een vrouw van rond de veertig met zweet op haar hals en enkels als ballonnen. Ze had een paarse vlek midden op haar linkerwang. 'Signòre?' zei ze.

Hij liep het badkamertje in en kwam terug met een paar schone badhanddoeken. 'Ik heb deze niet nodig. Ik vertrek. Je kunt er net zo goed mee doen wat je wil.'

Ze schudde haar hoofd en deinsde terug. Hij had al begrepen dat ze geen woord zou verstaan van wat hij zei. Dit was hoe dan ook een zinloze schertsvertoning. Toch nam ze de handdoeken met een gekmakende onderdanigheid aan; ze was niet anders dan Viviana. Uitleg of geen uitleg, het maakte deze wezens niet uit.

Hij zei: 'Waar is de andere meid die altijd komt?'

De vrouw staarde hem aan.

'Viviana,' zei hij.

'Ah! L'altra cameriera.'

'Waar is zij?'

Met de handdoeken stevig onder een oksel gedrukt haalde ze haar schouders op en hief haar handpalmen; daarna trok ze de deur netjes achter zich dicht. Een troosteloos gevoel kwam in hem op. Hij besloot de avondbijeenkomst bij te wonen.

De vergadertafel zo groot als een weiland was verslonsd.

Schrijfblokken, proppen papier, potloden zonder punt, lege waterkannen en vuile kopjes, een uitgeputte koffieketel, loom terneerliggende brillen met de poten gekruist, hier en daar een been op tafel. De formaliteit was verdwenen, het verval kroop binnen. De bijeenkomst was al enige tijd aan de gang; de spreker citeerde Pascal. Het deed sterk denken aan een psalmodie – hij had de scherp afgemeten handgebaren van een kruidenier die kaas snijdt. "Niet alleen begrijpen we God alleen door Jezus Christus, we begrijpen ook onszelf alleen door Jezus Christus. We begrijpen leven en dood alleen door Jezus Christus. Buiten Jezus Christus weten we niet wat leven is, noch dood, noch God, noch wat wijzelf zijn." Deze woorden zijn compromisloos; ze zoeken geen toenadering tot hen die ze onverschillig laten, of hen die erom zouden lachen. Ze zijn evenmin beleefd als zachtaardig. Ze nemen stelling en die stelling is eeuwig en absoluut. De plicht van de katholieke voorlichter is vandaag de dag niet eenvoudigweg de Kerk te verdedigen, hoewel ook daarin genoeg werk te doen is. Vooral in Amerika leven we met bepaalde schaduwen, maar hier in de bergen en dalen van Fumicaro, in het glorieuze Italië, is de Kerk een serene moeder en is het natuurlijk gemakkelijk te vergeten dat ze elders in moeilijkheden verkeert. Elders wordt ze belasterd als schuiloord van bijgeloof. Ze wordt beschuldigd van onbetamelijke politieke voorrechten. Ze wordt aangevallen als een vat van archaïsme en een vijand van de wetenschappelijke geest. Ze wordt nagewezen als een instelling wier enige bestaansgrond de bevordering van klerikale macht is. Helaas wordt de Kerk in haar ware ziel, in haar hemelse gewaden, niet voldoende begrepen of gekend.

'Dat vertekende beeld is natuurlijk een realiteit, maar onze plicht gaat dieper dan het zoeken naar de juiste, verhelderende lens die we over het misleidende portret kunnen leggen. De noodzaak de Kerk te verdedigen tegen de laster van onwetenden of onverdraagzamen is, hoe zal ik het noemen, niet meer dan een rimpeling in de heilige rivier. Onze taak als opiniemakers – en we moeten ons voor die frase, met al haar Amerikaanse onbevangenheid, niet schamen, want zijn we immers geen Amerikanen in een Amerikaanse samenspraak, al zitten we hier betoverd door de oudheid van onze omgeving? – onze taak dus, is te wijzen op de tijdloosheid van onze toestand, de blijvende toepasbaarheid van onze objectiverende visie, ook in een veranderende wereld, ook in de onmiddellijkheid van het moment. We moeten pal staan voor het opschrift Eeuwigheid op onze banier, en demonstreren hoe relevant dat is voor de korte termijn, ja, zelfs voor de allerkortste termijn, die van het individuele leven, het individuele moment. We moeten het absolute in het concrete tot bloei brengen, in de feitelijke opkomst en neergang van het bestaan. Ons doel is transmutatie, de heiliging van wat profaan is.'

Onmogelijk hiernaar te luisteren, Nightingale had gelijk. Frank Castle zonk weg in een innerlijke geesteskamer. Hij was gesloten, dat wist hij van zichzelf. Het was niet dat hij er verborgen gewoontes op na hield of dat hij, zoals mensen zeggen, zijn licht onder de korenmaat stelde. Het was eerder zoiets als een gewaarwording, iets als een pijnsteek of een klap. Zelfherkenning. Eens in de zoveel tijd voelde hij met een schok wie hij was en wat hij had gedaan. Hij was een man die zijn eigen benamingen had uitgevonden. Hij was onbepaald. Hij was wie hij zei dat hij was. Hij was door niets of niemand, en al helemaal niet door het toeval, in een positie geplaatst. Net als Augustinus interpreteerde hij zichzelf, en vurig. O ja, vurig. Terwijl deze ijzige propagandist met zijn hoogdravend geblaat van 'absoluut' en 'concreet' en 'transmutatie' in de hem toegewezen gleuf was gevallen als een boodschapper van het lot. Eenmaal gevallen lag hij vast. Geworteld. Een stalactiet.

Ver achter de spreker, net voorbij het hoge koperen kozijn van de deuropening – een afstand van meerdere weilanden, een heel landschap – schemerde een kleine mollige gedaante. Viviana! Daar was ze; daar stond ze. Je zou een telescoop nodig hebben om haar dichterbij te halen. Maar zelfs zonder hulpstukken kon Frank Castle zien hoe mooi ze gekleed was. Hij was misschien vergeten dat ze bezittingen kon hebben, maar dit viel niet tegen – al was het maar een blouse en een rok. Ze omklemde een voorwerp, hij kon niet onderscheiden wat het was. De blouse had bij de hals een helder blauw lint en lange mouwen. Of het nu het lint was of het vloeiende neervallen van de mouwen, of zelfs de rok die, zo rood als verf, lager afhing dan hij gewend was, er ging een plotselinge degelijkheid van haar uit. De heerlijke kuiten waren verborgen: die hete bollen die hij die middag nog wijd uiteen had getrokken. Ook haar dijen waren zo heet en zwaar als maïsbrood. Op deze afstand hing haar hoofd, veraf en zelfs onbestendig, zwaar af als het beladen hoofd van een rijpe zonnebloem. Ze verdiepte zich in de marmeren vloertegels van de Villa Garibaldi. Ze zou niet dichterbij komen. Ze overschaduwde zichzelf. Ze was een stukje beweeglijke weerspiegeling.

Hij vroeg zich af of hij moest wachten tot de spreker was uitgesproken. In plaats daarvan stond hij op – elke stap was een dreun – en omcirkelde de verslodderde oneindigheid van de tafel. Niemand anders roerde zich. Hij was een schandaal. De spreker onder de kroonluchter hield zich bij zijn lezing. Dat had Frank Castle de dag tevoren ook gedaan, toen ze hem allemaal in de steek hadden gelaten voor een tochtje over het Comomeer. Nu was hij hier de deserteur, de enige die zich uit de voeten maakte. Het was bijna tien uur 's avonds; het hele gezelschap was vanaf acht uur op. Een van hen had van zijn gevouwen armen een nest gemaakt waarin hij zijn hoofd voorzichtig, teder, te ruste had gelegd. Een ander lag achterover in zijn stoel met zijn mond open schaamteloos te slapen en blies met tussenpozen pufjes uit die het midden hielden tussen hijgen en snuiven.

In de hal buiten zei hij: 'Je hebt je verkleed.'

'Gaan naar Milano!'

Ze meende het dus. Haar standvastige, neergeslagen blik was geduldig, gehoorzaam. Hij wist niet wat hij van haar moest denken, maar haar stem klonk te hoog. Hij legde een vermanende vinger op zijn eigen mond. 'Waar was je ineens naartoe?'

'Ik ging, ik leg – ' Hij zag hoe ze naar het goede woord zocht, verstikt door de opwinding, '– *fiore. Il santo!* Voor een goede *viaggio.*'

Wat een *santo* was, begreep hij wel. 'Een heilige? Is hier een heilige?'

'Heb gezien, eerder, in de straat. Jij hebt gezien,' hield ze hem voor. Ze stak een metalen buis op. Het was de zaklantaarn van zijn nachtkastje in het Koetshuis. 'Signore, kom.'

'Heb je spullen? Neem je spullen mee?'

'*La mia borsa, una piccola valigia.* Ik breng in de kamer van signore.'

Ze konden daar niet blijven staan fluisteren. Zij leidde en hij volgde. Ze nam hem weer mee de berghelling af, langs hetzelfde half begraven pad, naar een met onkruid overgroeide stenen stomp. Het was de overwoekerde schrijn die hij eerder had gezien. Hij verhief zich pal in het midden van het pad. Het hoofd met zijn aangevreten neus was niet meer dan een vlek. Daarboven, zo hoog als zijn heupbeen, een soort stenen paraplu, een dakje in de vorm van een omgekeerde U of een rechtop gezet stuk badkuip dat leek weg te zinken in een berg wilde klimop. Uit dit dichte web priemde de iris die Viviana erin had gestoken.

'San Francesco!' zei ze; dat hadden de keukenhulpen haar gezegd. Zulke verborgen oude heiligen vond je overal in de bergen rond Fumicaro.

'Nee,' zei Frank Castle.

'Molti santi. Jij niet geloof? Signore, kijk! San Francesco.'

Ze gaf hem de zaklantaarn. In de witte poel van licht kreeg alles een heldere glans, als een poppentheater. Hij tuurde naar de vlek. Godin of god? Keizershoofd opgesteld als een mijlsteen om zijn heerschappij te verkondigen? De kin was weggesleten. De romp was afgebrokkeld. Heilig zag het er niet uit. Afhankelijk van het weer zou het honderd jaar oud kunnen zijn, of duizend, tweeduizend. Alleen een archeoloog zou het kunnen zeggen. Maar hij kon niet over het hoofd zien hoe de zaklantaarn het glans gaf. Een gloeiende stralenkrans. Viviana zat op haar knieën in het onkruid; ze trok hem omlaag. Met zijn gezicht in de bladeren zag hij een geërodeerd fragment van de sokkel en half verzonken een vage tekening, een enkel intact woord: DELEGI. Ik koos, ik benoemde. Wie koos, wie of wat werd benoemd? De oudheid alleen had geen betovering voor hem: verbrokkelend monument voor een of andere Romeinse streekpolitico of een eendagsgodje. De machtigen vervallen tot stof en laten kalk op de vingertoppen achter.

Ze had haar ogen dicht; ze was nu zoals ze was geweest in haar kleine flauwte, volmaakt ordentelijk, maar haar stem liep over van fel gemompelde woordjes. Ze bad.

'Viviana. Dit is geen heilige.'

Ze leunde naar voren en kuste de versleten mond.

'Je wéét niet wat het is. Zo'n oud heidens ding.'

'San Francesco,' zei ze.

'Nee.'

Ze wierp hem een bijna woeste glimlach toe. De stomp op het pad was gewijd. Hij bezat een kracht; ze aanbad stokjes en stenen. '*Il santo*, hij bidt voor ons.' In de stralenkrans van de schijnwerper leken haar wangen glad en geolied en eetrijp. Ze drukte haar gezicht in de bladeren naast hem – het was alsof ze zijn gedachte had gelezen en hem toestond haar te bijten – en zei weer: 'Francesco.'

Hij was er altijd vanuit gegaan dat hij vroeg of laat zou trouwen. Hij had spirituele ambities, toch wilde hij zichzelf verenigen met de grote protoplasmastroom van de menselijke continuïteit. Hij wilde vruchtbaar zijn: paren, zich voortplanten. Hij was niet in staat tot onthouding; hij kon zuiverheid niet volhouden; hij was niet kuis. Hij had een vreselijke nieuwsgierigheid; dat hij voor Viviana was gevallen zei al genoeg. Hij hield van de priesters, met hun verdorde mondhoeken en glazige ogen en hun raadselachtige lendenen die brandden voor God. Maar hij kon niet worden zoals zij; hij was te ongedurig. Hij had geen nederigheid. Soms dacht hij dat hij meer van Augustinus hield dan van God. *Imitatio Dei*: hij was tot God gekomen omdat hij gesloten was, omdat Jezus leefde, zij het verborgen. Vandaar de pracht van de duizend beeldhouwwerken die de onmededeelzame Jezus manifest wilden maken. Beeldhouwers zijn, net als priesters, allesbehalve onmededeelzaam.

Frank Castle had vaak gedacht dat, aangezien het huwelijk zo'n open cel is, hij niemand zou vinden om te trouwen. Echtgenotes staan erom bekend dat ze uitleg nodig hebben. Hij kon zich niet voorstellen dat hij getrouwd zou zijn met een boekenwurm, een 'intellectueel', maar bovendien was het zijn grootste angst. Hij vreesde een vrouw die kon spreken en vragen stellen en analyseren en navraag doen naar zijn geschiedenis. Soms fantaseerde hij dat hij getrouwd was met een rubberen pop ongeveer zo groot als hijzelf. Ze zou hem bedienen. Ze zouden een rubberen kind krijgen.

De grond wasemde een kilte uit. Er begon zich al rijp te verzamelen, een vlekkerige sluier over de gebarsten kop in de opstaande badkuip.

Hij zei: 'Sta op.'

'Francesco.'

'Laten we gaan, Viviana.' Maar hij aarzelde zelf. Ze was een kind dat luisterde naar simpele influisteringen, een primitief soort mens. Hij zag hoe primitief ze was. Ze was geen rubberen pop, maar ze zou de domeinen van zijn geest met rust laten. Dat verheugde hem. Hij vroeg zich af waarom zo'n tekortkoming hem zo blij kon maken.

Ze zei voor de derde keer 'Francesco'. Hij begreep eindelijk dat ze zijn naam uitsprak.

Ze brachten de nacht door in zijn kamer in het Koetshuis. Om zes uur zou de melkrijder van de moestuin langs de poort omlaag komen knarsen. Ze wachtten onder de oplichtende zonsopgang. De nevel walmde zich los van de berghelling, ze konden helemaal tot Como in de diepte kijken. Stilletjes rondhangend met naast zich het boerenkind begreep Frank Castle weer dat hij zich langzaam vastdraaide in chaos: een halfuur geleden had ze zich uitgestrekt om hem op zijn mond te kussen, precies zoals ze zich had uitgestrekt om de mond te kussen van het heidense ding dat in de grond was gevallen. Hij was gebiologeerd door de vreemdheid die hij zich had uitgekozen: een heel leven van vreemdheid. Ze omklemde zijn hand als een onschuldige, haar vingers verstrengeld met de zijne. En toen, als een donderslag bij heldere hemel, als getroffen door een wervelwind, waren ze dat niet meer. Ze rukte zich van hem los, scheurde haar vingers van de zijne, het was alsof hij werd ontveld; hij raakte haar kwijt. Ze had zich uit het zicht gestort. Frank Castle zag haar rennen, alsof ze weggesmeten was. Ze rende de weg op en de weg af en over, door de hoge heggen, weg van de dichtgemetselde bogen van het Romeinse aquaduct.

Uit een van die bogen stapte Percy Nightingale. Onder zijn open overjas pronkten een paar blote blauwwitte knieën.

'Gegroet,' riep hij, 'door een volleerde slapeloze. Ik heb de plaatselijke zonsopgang verkend. Ze zijn vrij goed in zonsopgangen in deze streken, moet ik zeggen. Wat verzamelen wij reizigers op onze tochten van het ene rijk naar het andere toch een rommel: hier zie ik u staan met twee koffers terwijl ik zeker weet dat u er gisteravond nog maar één had. U hebt er toch niet toevallig nog wat drank in zitten?' Hij stampte vaag rond in wat bedoeld leek als een kringetje. 'Wie was dat konijn dat de bosjes in vluchtte?'

'Ik denk dat u het weggejaagd hebt,' zei Frank Castle.

'Alleen door hoe ik eruitzie? Ik heb me nog niet fatsoenlijk aangekleed, dat klopt. Ik ben wel van plan nog vóór het ontbijt mijn broek aan te trekken. U ziet eruit alsof u op een trein staat te wachten.'

'Op de melkrijder.'

'Aha. Een langzame ontsnapping. Met de drankrijder zou u sneller weg zijn. Dan zou ik voor de lol nog met u meegaan ook.'

'De zaak zit zo,' zei Frank Castle zo toonloos als hij kon, 'dat u me betrapt terwijl ik er met de kamermeid vandoor ga.'

'Wat een leuk idee. Satan, stel U achter me op en geef me een duw. Nog vele gelukkige jaren jullie beiden. Dat sprietige ding met die klompvoeten en de moedervlek? Ze heeft mijn bed heel warmpjes opgemaakt – ik zou zeggen dat ze een van de Romeinse overblijfselen is die ze hier hebben.' Hij wees met zijn lange kin omhoog naar het aquaduct. 'Aangezien u me niet hebt uitgenodigd voor de opgraving, verwacht ik ook geen uitnodiging voor de bruiloft. Geloof het of niet, hier is uw lift.'

Frank Castle pakte Viviana's koffer en de zijne op en ging midden op de weg staan zwaaien met zijn groene Amerikaanse bankbiljetten; de chauffeur van de vrachtwagen stopte.

'Nou, tot sint-juttemis dan maar,' riep Nightingale.

Hij ging op de stoel naast de chauffeur zitten en richtte zijn blik op de weg. Die boog naar links en weer naar rechts: er kon nu elk moment een meisje in een rode rok tevoorschijn schieten vanachter een del in het loof. Hij probeerde dat tegen de chauffeur te zeggen, maar de man tjilpte alleen dunnetjes van tussen zijn boerentanden. De lege melkbussen stonden te rammelen op de laadvloer; soms botsten ze met hun zijkanten tegen elkaar en klonk er een galmende bekkenslag. Het begon hem te dagen dat de afgrond in zijn ingewanden alleen hemzelf gold: wat haar op de vlucht had gejaagd was niet de angst betrapt en veroordeeld te worden, maar de wederkeer van haar gezond verstand: ze was niet op haar achterhoofd gevallen, ze ging er heus niet vandoor met een krankzinnige. Lust! Hij was gisteren bij zinnen gekomen, maar alleen tijdelijk; en zij was vandaag bij zinnen gekomen, op het nippertje. Waarna het bij hem opkwam dat hij zijn portefeuille maar eens moest nakijken. Bedrogen. Ze had hem beroofd en was ontsnapt. Hij dook in zijn zak.

Onmiddellijk stak de chauffeur zijn open handpalm onder zijn neus.

'Ik heb u betaald. *Basta*, ik heb u *basta* gegeven.'

De truck hobbelde vervaarlijk in de bocht maar de hand bleef hangen.

'Goeie god! Hou alstublieft het stuur vast! We vliegen uit de bocht.'

Hij schudde een stroom groene biljetten uit op de stoel. Nu kon hij niet meer nagaan hoeveel ze van hem had gestolen. Hij twijfelde er niet aan dat ze een dievegge was. Ze had kaas uit de keuken gestolen en wijn uit een afgesloten kast.

Hij dacht aan zijn camera. Het zou hem niet verbazen als ze die vannacht in een handdoek of een kussensloop gerold had meegepikt. Diefstal was vanaf het begin haar motief geweest. Al het andere was list, voorwendsel, afleiding, verlakkerij; ze was een soort zigeunerin, met honderd trucs. Hij zou haar nooit meer zien. Hij was bevrijd. De waanzin van de afgelopen drie dagen stak hem; hij was bedroefd. Nooit zou hij zich meer overgeven aan de onrijpheid, nooit meer de afgrond. Een mop! Hij was er bijna met de kamermeid vandoor gegaan. Die verdomde Nightingale!

Ratelend – als een dozijn carillons inmiddels – reden ze Fumicaro binnen. Hier was de promenade, hier was het zaakje van de warme chocola, hier was de kerk met zijn klokkentoren, hier was het Comomeer, schitterend in de ochtendzon – het hoge zuivere licht dat eruit opreer. 'Autobus,' beval hij de chauffeur. Hij had genoeg groen goud verspild om te mogen bevelen. De boerentanden verrieden de gelukzaligheid van de nieuwe rijken. Hij werd uitgelaten op een zonderling roddelhoekje van een straat die eruitzag of hij in heel zijn bestaan nog nooit van een autobus had gehoord, en daar – 'geloof niet!' – stond Viviana zwaar te hijgen. Ze was nog buiten adem vanwege de spion. Een spion was in hun dromen nooit voorgekomen, mijn God! Verwarring en gevaar. De spion zou het vast en zeker tegen Guido zeggen en Guido zou het vast en zeker tegen Mr. Wellborn zeggen of, erger nog, de neef van de schoenmaker, die trouwens ook de neef van Guido was, maar dan van de andere kant van de familie. En dan zouden ze haar niet laten gaan. Nee, vast niet! Ze zouden haar hier houden tot haar probleem zichtbaar werd en rampzalig, en dan zouden ze haar in de sloot gooien. De spion was niet te vertrouwen. Hij was de man die ze op de berg hadden ontmoet, die haar voor een jongen had aangezien. Hij was de man in de lege kamer van het Koetshuis. De andere *cameriera* had haar verteld dat hij boven op al de extra dekens die ze had gebracht al de handdoeken had gelegd die er waren en toen, o! de gordijnen van de rails had gehaald en op de handdoeken had gestapeld. En hij was schaamteloos voor de andere *cameriera* komen staan, zonder zijn *pantaloni*! Dus wat had ze anders moeten doen? Ze was het verborgen stenen pad af gevlogen, ze was San Francesco voorbijgevlogen zonder te stoppen, om nog voor de melkrijder op de piazza van de autobus aan te komen.

Op haar bovenlip waren zweetdruppeltjes uitgebarsten tot een falanx. Ze sloeg zuur als een oude vrouw haar blik naar hem op; hij herkende de grootmoeder in Calabrië, gehard door de achterdocht van de wereld. 'Jij denkt ik kom niet?'

Hij wilde haar niet zeggen dat hij dacht dat ze had gestolen.

'Geloof niet!' Daar tuimelde haar verhitte lach omlaag, geurend naar zijn bed in het Koetshuis. 'Als *questo bambino* klaar,' – ze drukte op het kussen van haar buik – 'jij maakt nieuwe *bambino*, oké?'

In Milaan werden ze die avond (zijn vierde in Italië) in een krappe koude kapel in de kathedraal, in het zicht van de relikwie, getrouwd door een priester die tot Caterina's kring van speciale vrienden behoorde.

Caterina zelf verbaasde hem: ze was gekleed als een zakenvrouw. Ze droeg een zwarte vilten hoed met een aanzienlijke rand, ze was in alle opzichten aanzienlijk. Haar hoofd stond waakzaam op een nek die bleef draaien alsof hij op een generator was gemonteerd en haar krachtige grote ogen namen werkelijk alles in zich op. Hij merkte dat ze hém in zich opnam, met een grote slok. Haar arm schoot uit om Viviana een oorvijg te geven omdat Viviana, hoewel ze zich had voorgenomen nooit iets over de schoenmaker te zeggen, op haar trouwdag niet kon huichelen. Ze trok haar arm terug. Caterina zou Viviana niet slaan ten overstaan van een toerist, een Amerikaan, op haar trouwdag. Ze had manieren. Maar toch, het was laster, die schoenmaker was niet zo iemand die zaadjes in de buik van onschuldige meisjes plantte. Caterina verdraaide haar nek en monsterde de Amerikaan.

'Drie dagen? U bent vriend van mijn Viviana drie dagen, signore?' Ze tikte op haar slaap en draaide toen met haar wijsvinger kringetjes in de lucht. 'Waarom u mijn Viviana trouwen als u niet zelf het zaad geplant?'

Hij wist wat voor schurk hij leek. De vraag was angstaanjagend, maar ze was niet voor hem bestemd. Ze gingen tegen elkaar tekeer, de moeder en de dochter, huilend en gillend in onverstaanbare watervallen: het was een opera, mateloos drama, in een taal die hij niet kon peilen. Dit alles vond plaats in Caterina's kamer in het Hotel Duomo, om de hoek van een linnenkamer die zo ruim van schappen was voorzien als een bibliotheek; hij zat in een stoel tegenover de garderobekast waarin het tweetalig woordenboek verstopt lag. Aan zijn rechterhand de deur, hij kon gemakkelijk naar de knop grijpen en vertrekken. Hij zat er bijna een uur. De twee blaffende monden blaften onophoudelijk. De handen klemden, grepen, duwden. Hij bleef onthecht, op afstand. En toen, tot zijn verbazing, in een nieuw crescendo, toen het misbaar een woedend hoogtepunt had bereikt, vielen de vrouwen elkaar in een koortsige omhelzing in de armen. Zo onwaarschijnlijk als het was, zo absurd als het was, Caterina stuurde Viviana naar Amerika. *Un colpo di fulmine! Un fulmine a cielo sereno!*

Vlak voor de kleine ceremonie vroeg de priester Frank Castle hoe hij zou omgaan met een kind dat, zoals hij beweerde, niet het zijne was. Frank Castle wist niet wat hij moest zeggen. De priester was oud en der dagen zat. Hij sprak over zonde als een bejaarde hond die te ziek is om gezellig te zijn, maar toch: je bent aan hem gewend, je kunt hem niet missen en je kunt het niet over je hart verkrijgen om hem weg te doen.

Frank Castle ruilde zijn retourticket voor twee andere aan boord van de *Stella Italiana*, die tien dagen later naar New York zou afvaren. Het was allemaal toeval en geluk: iemand had afgezegd. Er waren twee plaatsen beschikbaar. Dat liet tijd over om het huwelijk een burgerlijke status te geven: de priester legde Caterina uit dat het paar, hoewel Viviana in de ogen van God nu veilig was, een papier van de regering nodig had met een stempel erop. Dat was de wet.

Er was tijd over voor Milaan. Het was een curiositeit: Viviana was als meisje van dertien naar deze noordelijke schatkamer gehaald en wist nog steeds niet waar *Het Laatste Avondmaal* hing. Caterina wel; zij wist zelfs wie het had gemaakt. 'Leonardo da Vinci,' verklaarde ze trots. Maar ze had het nog nooit gezien. Ze nam Viviana mee uit winkelen voor een uitzet; ze kochten alles behalve nieuwe schoenen, omdat Viviana koppig was. Ze weigerde naar de schoenmaker te gaan. '*Ostinata!*' zei Caterina, maar er begon een zekere bewondering in haar woede te kruipen. Viviana had een Amerikaanse echtgenoot gevonden die in Amerika voor de radio sprak! Il Duce sprak ook voor de radio en die konden ze tot in Amerika horen. Viviana een bruid! Getrouwd, en dat met een toerist! Het was een wonder. Iemand, zei Caterina, had een heilige gekust.

Het Laatste Avondmaal was in verval. Toeschouwers moesten achter een fluwelen koord blijven. Viviana zei dat het jammer was dat de fotocamera nog niet was uitgevonden toen Onze Lieve Heer de aarde bewandelde, want met een camera had de maker een véél beter portret van Onze Lieve Heer kunnen maken dan in dat afbladderende tafereel aan de muur. Frank Castle leerde haar omgaan met zijn fototoestel en ze kiekte hem overal; ze kiekten elkaar. Ze hadden hun intrek genomen in Caterina's kamer maar ze moesten uitkijken als ze gingen of kwamen, zodat de bedrijfsleider er niet achter kwam. Logeren in Caterina's kamer kostte hun niets. Caterina zei niet waar zij ging slapen; ze zei dat ze vrienden genoeg had die haar konden opvangen. Toen Viviana vroeg wie dat waren, lachte Caterina. 'De priesters!' zei ze. Overal in Hotel Duomo werd Frank Castle met eerbetoon bejegend, als een persoon met handelswaarde. Hij was een Amerikaan met een Italiaanse vrouw. 's Ochtends dronken ze koffie in de eetzaal. De ober maakte zijn buiginkje. Dat bracht Viviana in verlegenheid. In de Villa Garibaldi had zij gebogen voor de obers; niemand stond zo laag als de *cameriera*. Bediend worden voelde ongemakkelijk aan. Frank Castle zei tegen haar dat ze geen *cameriera* meer was; binnenkort zou ze een Amerikaanse zijn. Rancuneus vertrouwde ze hem toe dat Caterina bij de schoenmaker logeerde.

Hij nam haar mee – nog steeds op Nightingales route – naar de onafgemaakte *Pietà* in een kasteel met erkertorens en versleten oude bakstenen; schoolkinderen renden heen en weer door de brede grazige geul die ooit de slotgracht was geweest, maar Viviana was niet onder de indruk. Ze had wel bewondering voor de glans van de levensechte voet van de heilige maagd, zo gepolijst als de marmeren vloertegels in de Villa Garibaldi; de rest was vooral ruwe steen. Ze vond het belachelijk om zo'n ding tentoon te stellen. Onze Lieve Heer had geen gezicht. De Heilige Maagd had geen gezicht. Ze zagen eruit als gedrochten. En dat noemden ze godsdienst! Wat maakte het uit dat de *muratore* die het had gemaakt beroemd was, die slappeling die hij van Jezus had gemaakt was geen haar mooier of heiliger dan die afbladderende op die witte muur. En zonder gezicht! Ze liet zich door Frank Castle voor al die rommel fotograferen in haar nieuwe bont gespikkelde jurk en ondertussen beschreef ze het beeldje van de Heilige Maagd Maria dat in haar eenvoudige kamer in Fumicaro op een plank had gestaan. De gelaatstrekken van de Madonna waren tot in het kleinste detail volmaakt, met prachtige oogwimpertjes van echt mensenhaar. En alles in frisse vrolijke kleuren, de ogen lief blauw en de wangen rozerood. De Heilige Bambino was net zo precies. Hij had een piepklein naveltje met een blauw bergkristal erin, dat paste bij de blauwe mantel van Onze Lieve Vrouw, en onder zijn gazen luier scheen zelfs een geverniste penis door, met de kleur van een mensenvinger, maar dan veel kleiner. En piepkleine nageltjes van celluloid! Zo'n beeld, zei Viviana, is *molto sacro*, en ze had er wel duizendmaal voor geknield. Ze had tranen van berouw gehuild vanwege de bloeding die niet kwam. Ze had Onze Lieve Vrouwe gesmeekt om voorspraak bij de Heilige Bambino en de Heilige Bambino had haar gebeden verhoord. Ze had de Heilige Bambino gesmeekt om haar, als Hij de bloeding niet kon laten komen, een echtgenoot te sturen en Hij had een echtgenoot gestuurd.

Ze wandelden door zalen vol schilderijen, wulpse Titiaans, maar het enige wat Frank Castle uit zijn evenwicht bracht was Viviana's stevigheid. Er brandde een heilig vuur in haar. Hij was in Italië aangekomen met twee kleine gidsen, een voor Florence en een voor Rome, maar over Milaan had hij niets. Viviana zelf was niet in kaart gebracht. Alles was een verrassing. Wat er zou gebeuren als ze de hoek omsloegen was niet te voorzien. Hij keek verwonderd terug op wat hij had gedaan. Maandag in Fumicaro Augustinus en filosofie, donderdag het gebabbel van een argeloos meisje met bruine ogen en een bont gespikkelde jurk. Zijn kleine boerenvrouw, een zwerfkind met een baby in haar! Heel zijn leven zou hij zich voor haar schamen. Aan wie kon hij haar zonder vernedering voorstellen?

Haar onwetendheid ontroerde en verhief hem. Hij dacht aan de heilige Franciscus, die zich verheugt als hij door een norse kloosterportier wordt geslagen en beschimpt: *Laat me bereidwillig en omwille van de liefde van Christus pijn en belediging en schaamte en gebrek verdragen, zoals we ons niet mogen verheugen in al Gods andere gaven aangezien die niet van ons maar van God zijn.* Frank Castle begreep dat hij altijd bespot zou worden vanwege dit meisje; zijn camera klakte alweer naar haar. Zo sterk als ze was, zo stralend, zo blij! Ze was gastvrijer voor God dan iedereen die Hem in boeken hoopte te vinden. Ze gaf God overal een thuis: in oude Romeinse badkuipen, in beschilderde houten poppetjes: stokjes en stenen. Hij zag dat niemand haar had geleerd haar nagels schoon te maken. Hij vroeg zich af hoe dat kon: ze was de dochter van iemand die haar diensten verhandelde, ze was zelf een soort handelswaar; ze achtte zichzelf voorbestemd, een vat dat door willekeurig wie gevuld moest worden. Hij was met schande getrouwd. Getrouwd! Dat had hij gedaan. Maar hij voelde geen berouw; geen enkel. Hij was uitgelaten: dat hij de moed had gehad tot zo'n vernedering!

Voor hen hing aan een dwarsbalk een lijk gemaakt van eikenhout. Het was zo groot als een echte man en had het hoofd van een echte man. Het droeg een krans van echte doorntakken en er zaten echte gaten in zijn lichaam, waar echte spijkers in waren geslagen.

Viviana ging door haar knieën en sloeg haar handen samen.

'Viviana, hier bidden mensen niet.'

Haar mond murmelde door.

'Zoiets dóé je hier niet.'

'*Una chiesa,*' zei ze.

'Mensen bidden niet in musea.' Toen kwam het bij hem op dat ze niet wist wat een museum was. Hij legde uit dat de schilderijen en beelden kunstwerken waren. En hij was met haar getrouwd! 'Er zijn hier geen priesters,' zei hij.

Ze wierp hem een deels geamuseerde, deels geschokte blik toe. Priesters moeten ook eten, zei ze. De priesters waren gaan eten. Het was hier bijna precies als in de *chiesa* in Fumicaro, alleen drukker. Bij die andere *chiesa*, waar ze *Het Laatste Avondmaal* hadden, waren ook geen priesters te zien en was dat het bewijs dat het geen *chiesa* was? Caterina had haar altijd gezegd hoe dom toeristen waren. Nu zou ze nog een extra gebedje voor hem moeten zeggen, opdat hij meer meegevoel mocht krijgen met de menselijke honger van de priesters.

Ze boog het hoofd. Frank Castle liep helemaal rond de middeleeuwse houten man. Rode verf, eeuwen droog, droop uit de spijkergaten. Zelfs de achterkant van de figuur was precies gemaakt: de spanning van de uitgerekte, uitgeputte spieren. De houtsnijder had er nergens de kantjes vanaf gelopen. Toch ontbeerde het gezicht ook maar een greintje devote inspiratie. Het was alsof de houtsnijder helemaal was opgegaan in het snijden zelf, en niet in het symbool. De man aan de kruisbalk was in levenden lijve nagemaakt, en dat was alles. Hij was misschien een kopie van de buurman van de houtsnijder, of een neef. Toen het houtsnijwerk af was, was de buurman of neef van het kruis gekomen en hadden de houtsnijder en hij samen de spijkers erin geslagen.

De spijkers. Zaten die er om medelijden op te wekken? Ze gaven hem een gevoel van wreedheid. Hij dacht na over die wreedheid: vroomheid met een menselijk als middelpunt, wat kon dat betekenen? De houtsnijder en zijn model, samen aan het hameren op de spijkers.

Op straat hingen er ineens vlaggen en overal grote stoffen portretten van Il Duce die tegen de gevels van gebouwen flapperden. Il Duce had een kikkermond en enorme ronde Romeinse ogen. Was het een feestdag? Van Viviana werd hij niets wijzer. Toen hij er Caterina naar vroeg, spuugde ze. Sommige straten waren miraculeus overdekt met glazen koepels. De mensen liepen er te winkelen in een groenige onderzeese schemering. De terrassen waren bezaaid met massa's tafeltjes. Men wandelde er in zwermen rond, de hele middag en de hele avond, met een uitbundigheid die hem verbijsterde. Heel Milaan riep elkaar onder het glas toe. Ze passeerden etalages volgestouwd met paraplu's, handschoenen, schoenen, pasteitjes, zijden dassen, marsepein. Daar stond de kathedraal zelf, op een reusachtig dienbord, helemaal gemaakt van witte marsepein. Hij kocht een marsepeinen gans voor Viviana, en van een straatventer een kleine Pinokkio aan een koordje. Bij een boekwinkel laveerden jongens heen en weer tussen de koffiedrinkers op het terras – 'Turista? Turista?' – en deelden pamfletten uit in het Frans en Engels. Frank Castle nam er een aan en las: 'Slechts één van mijn voorouders interesseert me: er was een Mussolini in Venetië die zijn vrouw had vermoord omdat ze hem had bedrogen. Voor hij vluchtte legde hij twee Venetiaanse *scudi* op haar borst voor de kosten van de begrafenis. Zo zijn de mensen van Romagna, van wie ik afstam.'

Ze namen de lift naar boven in de kathedraal en liepen over de daken, tussen honderden standbeelden. Achter elke figuur stonden tien andere: heiligen en martelaars en engelen en griffioenen en waterspuwers en Romeinen; er waren Romeinse soldaten met versierde zwaardgevesten en enkellaarzen waaruit de hoofden van weer andere Romeinse soldaten ontsproten. Viviana keek uit door de kantelen aan de randen van de daken en daar stonden nog weer honderden beelden; duizenden. Een ware proliferatie van beelden. Een leger beeldhouwers had door deze hoge stenen gezwermd en eeuw na eeuw de ene verbazingwekkende gedaante na de andere gehakt. Sommige waren zwijgzaam, andere extatisch. Sommige stonden roerloos stil, andere hadden vleugels. Het was een droom van ongeremde bloei, van oneindigheid: van streng in achthoekige koepels geplaatste figuren, elk van de acht groeizame flanken van elke koepel weer de gulle voedingsbodem voor nieuwe friezen en vruchten; van ledematen die aan ledematen ontsproten; van galerijen in bloei; van beelden die beeldhouwwerken verwekten. Wat er vanaf het plein beneden uitzag als het luchtigste kantwerk of eiwitschuim ontplofte hier tot massa, gewicht, schaduw en schittering: een krankzinnige volheid uitgestort door een opgezwollen hoorn des overvloeds.

Frank Castles longen stootten een geweldige lach uit. Hij hurkte neer op het warme koperen dak en lachte.

'Wat? Wat is er?' vroeg Viviana.

'Je zou hier jaren en jaren bezig kunnen zijn,' zei hij. 'En dan was je nog niet klaar! Je zou je hele leven hierboven moeten blijven!'

'Wat?' zei ze. 'Wat ik niet klaar?'

Hij had zijn zakdoek tevoorschijn gehaald en bewerkte zijn natte ogen met zijn vuist. 'Als – als –' Maar hij kreeg het er niet uit.

'Wat? Wat? Francesco –'

'Als – stel –' Het lachen voelde alsof hij gewurgd werd; hij hoestte een lang afgeknepen ademtocht uit. 'Kijk,' zei hij. 'Stel dat jij voor elk van die heiligen op je knieën ging, verdorie! Viviana,' zei hij, 'dít is een chiesa! De priesters zijn niet gaan eten. De priesters zijn hieronder! Onder onze voeten! Dan zat je hier,' zei hij – en nu begreep hij exact wat zich in Fumicaro had afgespeeld: hij had zichzelf een levenslange penitentie opgelegd – 'nog duizend jaar!'

Wat is er met de baby gebeurd?

Als kind werd ik vaak meegenomen naar bijeenkomsten van de vereniging van mijn oom Simon, de Liga voor een Verenigde Mensheid. Die bijeenkomsten waren niet geschikt voor een kind van tien, erkende mijn moeder, maar wat moest ze anders met me? Ik kon 's avonds niet alleen thuisblijven en mijn vader werkte als artsenbezoeker voor een farmaceutische onderneming en was vaak van huis. Hij had onlangs het rayon Zuidwest toegewezen gekregen en we zagen hem weken aan een stuk niet. Voor ons klonken Arizona en Nieuw-Mexico als de namen van verafgelegen planeten. Maar oom Simon was naar nog veel vreemdere regionen geweest, vertelde mijn moeder me trots. Soms werd er een buurvrouw bij gehaald om op me te passen en ging mijn moeder in haar eentje naar oom Simons bijeenkomst. Het was belangrijk dat ze ging, legde ze uit, al was het alleen maar om de zaal te helpen vullen. Goede kans dat die half leeg was. Zoals alle genieën werd oom Simon – 'tot nu toe', benadrukte ze – niet op waarde geschat.

Oom Simon was niet echt mijn oom. Hij was een achterneef van mijn moeder, maar uit respect en omdat hij tot een oudere generatie behoorde moest ik hem oom noemen. Mijn moeder vereerde hem. 'Oom Simon,' zei ze, 'is de knapste man die je ooit zult ontmoeten.' Hij was een uitvinder, maar niet van aardse zaken als machines, en hij was de oprichter van de Liga voor een Verenigde Mensheid. Wat oom Simon had uitgevonden, en blijkbaar nog altijd aan het uitvinden was omdat er per definitie geen eind aan die taak kwam, was een compleet nieuwe taal, een die door ieder mens gesproken en verstaan kon worden. Hij had die taal GNOE genoemd, naar de Afrikaanse antilope met twee kromme hoorns die naar elkaar toe buigen alsof ze een ring willen vormen. Hij had de hele wereld afgereisd op zoek naar de gedeelde wortels van talen en had de minder courante klinkers laten liggen. Hij was naar Turkije en China geweest en veel landen in Zuid-Amerika, waar hij indianen had ondervraagd en in zijn zelfgemaakte cryptische notatie de klanken had opgeschreven die ze spraken. In een Xhosa-gehucht verscholen in het oerwoud van Afrika was hij geïnspireerd geraakt door een echte gnoe met gele hoorns die hij had gezien. En toch woonde hij met al zijn verheven ervaringen overzee net als wij in een flat met zes verdiepingen zonder lift in de East Bronx, in een buurt van kleine winkeltjes waarvan er veel leeg stonden. In de herfst kon het gebeuren dat de ramen van zo'n winkeltje ineens behangen werden met dikke gordijnen. Dan waren er zigeuners neergestreken voor de winter. Mijn moeder zei dat de winkels door de tijden leeggemaakt waren. Mijn vader zei dat het de Depressie was. Ik begreep dat het ook door de Depressie kwam dat hij moest werken voor een bedrijf dat zo wreed was hem van mijn moeder en mij weg te sturen.

In tegenstelling tot mijn moeder bewonderde mijn vader oom Simon niet. 'Die bietser,' zei hij. 'God mag weten waar hij die sukkels vindt die hij bezwendelt.'

'Het zijn beschaafde mensen van Park Avenue,' protesteerde mijn moeder. 'Die vinden het gewoon een voorrecht om Simons expedities te financieren.'

'Simons expedities! Als je het mij vraagt is hij de laatste vijftien jaar niet verder weg geweest dan de straat uit naar de openbare bibliotheek en haalt ie al die kennis van hem gewoon uit de *National Geographic*.'

'Niemand vraagt je wat, en sinds wanneer interesseert het jou zo? Trouwens,' zei mijn moeder, 'Simon gaat niet achter het geld aan, dat doet zíj.'

'Zij,' zo wist ik, was oom Simons vrouw Essie. Haar hoefde ik geen tante te noemen.

'Ze dirkt zich op als een modepop en vleit ze helemaal suf,' ging mijn moeder verder. 'En trouwens, iemand moet zijn hand ophouden en Simon is daar het type niet voor. Wie moet anders de zaalhuur betalen? Om nog maar te zwijgen van zijn onderzoek.'

'Onderzoek,' sneerde mijn vader. 'Wat je onderzoek noemt! Oude geluiden verzamelen om ze te verbasteren tot nieuwe geluiden. Waarom zoekt ie niet een fatsoenlijke baan? Een mooi stel, die twee – dwepers zijn het! Nee, ik zeg het verkeerd, hij is de dweper, zij is de onnozele stroopsmeerster. Die idiote rijmpjes van d'r. Geen cent meer, Ruby, ik waarschuw je, je bent niet een van die sukkels van Park Avenue met meer geld dan hersens.'

'Het is alleen maar voor de jaarlijkse contributie –'

'De Liga voor Geklutste Klanken. Tien dollar door de plee.' Hij zette zijn bruine vilten gleufhoed op, tikte op zijn vestzakje om te voelen of zijn treinkaartje erin zat en verliet ons.

'Zie hem nou eens boos weggaan,' zei mijn moeder, 'en allemaal waar een kind bij is. Phyllis, liefje, je moet één ding begrijpen. Oom Simon is zijn tijd vooruit en niet iedereen kan dat begrijpen. Papa kan het nu nog niet, maar dat komt vast wel. Laten we tot het zover is maar niet zeggen dat we naar een bijeenkomst zijn geweest, anders komt hij ook nog boos thuis.'

De bijeenkomsten van oom Simon begonnen altijd hetzelfde: oom Simon stelde een nieuw gemunte lettergreep voor en legde uit hoe hij die had afgeleid uit twee of drie anderstalige wortels, en de leden riepen wat ze ervan vonden. Die meningen waren vaak tegenstrijdig en dan werd er luidkeels geruzied over de vraag of de lettergreep in kwestie als werkwoord kon dienen zonder dat er aan de staart nog een lettergreep werd geplakt. Zelfs mijn moeder keek verveeld tijdens die discussies. Ze trok haar wollen handschoenen uit en trok ze dan weer aan. De zaal was niet verwarmd en mijn voeten verkleumden in hun overschoenen. Rondom ons woedde een storm van priemende vingers die met brandende sigaretten halo's van lichtgrijze rook in de lucht draaiden, en ik kreeg het idee dat die prikkelbare schreeuwende mannen (het waren zo goed als allemaal mannen) bijna net zo'n hekel aan oom Simon hadden als mijn vader. Hoe kon oom Simon zijn tijd vooruit zijn als zelfs de mensen van zijn eigen Liga ruzie met hem maakten?

Mijn moeder fluisterde: 'Zit er maar niet over in, kind, het is allemaal in orde. Ze zijn gewoon zo enthousiast. Ze moeten tot een beslissing zien te komen, net zoals wetenschappers experimenten doen, proberen en nog eens proberen. We zitten midden in oom Simons laboratorium. Je zult zien, aan het eind zijn ze het allemaal eens.'

Ik kon me niet voorstellen dat ze het ooit eens zouden worden, maar na een tijdje ebde het geschreeuw weg tot een gedempt soort gemeenschappelijk gebrom, werd de rookwalm donkerder en brak het tweede deel van de bijeenkomst aan, het deel dat ik het leukst (of het minst vervelend) vond. Voor in de zaal, aan de zijkant, stond een podiumpje breed genoeg voor één persoon. Er waren twee treetjes om erop te komen en de vrouw van oom Simon beklom die en ging in de houding staan. 'De diva,' zei mijn moeder in mijn oor. Essie was gekleed in een lange gele zijden jurk, met een gele zijden roos bij haar sleutelbeen en een gele zijden roos in haar grijzende haar. Ze had die jurk zelf genaaid, met een patroon van vloeipapier dat ze bij Kresge had gekocht. Ze was klein en plomp, ze had een platte neus en ze zuchtte vaak; in haar zwartglanzende pumps met hun dunne hakken leek ze volgens mij op Minnie Mouse. Haar spreekstem was ook muisachtig, te zacht om ver te dragen, en er was geen microfoon. '"Zonneschijn",' kondigde ze aan. 'Ik zal mijn gedicht eerst in het Engels voordragen, en dan in de heerlijke woorden van het GNOE, de toekomstige taal van de hele mensheid, zoals vertaald door de heer Simon Greenfeld.'

Het was direct duidelijk dat Essie haar jurk had gekozen bij haar voordracht:

Zonneschijn
Als uw dromen helder zijn
Verlicht door gele zonneschijn
Weet dan Mensheid, vrienden, buren
Dat de dag niet lang kan duren
Van de wens die wordt vervuld
Zie mij trots in geel gehuld!
Want de hoorns van de gnoe zijn saamgeloken
En het Rijk der Eenheid is aangebroken!

'Gele hoorn, gele hoorn, elk buigt naar zijn broederhoorn', tweemaal herhaald, was het refrein.

'De diva en de dichteres,' mompelde mijn moeder. Maar toen gebeurde er iets griezeligs: Essie begon te zingen, en de woorden, waarvan zelfs ik al kon horen dat ze mal waren, werden omgevormd tot ijle, buitenaardse klankstromen. Ik huiverde over mijn hele lijf, en niet van de kou. Niet dat ik niet gewend was aan het geroezemoes van vreemde talen: tegenover ons woonde een gezin dat Grieks sprak, de groenteboer op de hoek was een Libanees en onze eigen portiek schudde van de Napolitaanse en Jiddische uitbundigheid.

Maar wat we nu hoorden was volkomen uitheems. Het had geen enkele affiniteit met iets herkenbaars. Het had net zo goed uit de mond van zeemeerminnen op de bodem van de oceaan kunnen komen.

'Nou, wat zei ik je?' zei mijn moeder. 'Zo mooi? Zelfs al komt het bij háár vandaan.'

Het lied eindigde in een pastelglans, als de trage ondergang van de zon.

Oom Simon stak zijn hand op tegen het applaus. Zijn stem klonk hees en hoog en strijdbaar. 'Voor onze volgende bijeenkomst,' zei hij, 'staat een GNOE-uitvoering op het programma van Shelley's "To a Skylark", vertaald door ondergetekende en op muziek gezet door onze eigen zanglijster, Esther Rhoda Greenfeld, dus noteert u allemaal alstublieft de datum...'

Maar de zaal was in opschudding. Een dreunend gebrul was ineens uitgebarsten vanaf de grotendeels lege rijen achteraan en overstemde oom Simon. Drie mannen en twee vrouwen stonden met hun voeten op hun stoel te stampen en het getrappel werd alsmaar sneller. Ik wist dat dit net zomin onverwacht kwam als het gezang van Essie of de uitspraken van oom Simon. Het barstte aan het eind van bijna elke bijeenkomst uit en oom Simon genoot van het misbaar. Die mensen waren zijn vijanden en rivalen; hoewel, nee, oom Simon had geen rivalen, informeerde mijn moeder me naderhand, hij vatte het op als een compliment dat deze indringers, deze wilden, überhaupt de moeite namen om te komen en dat ze wachtten tot nadat Essie klaar was met zingen. Ze wachtten om haar te bespotten, maar wat was hun spot anders dan afgunst? Ze gilden het uit in een raar soort koeterwaals, ze spraken in tongen, ze deden alsof ze GNOE parodieerden, en als ze dan uitbarstten in hun gebruikelijke leuzen, was dat niet het beste bewijs van hun nederlaag, van hun afgunst?

'ZA-men-hof! ZA-men-hof!' joelden de vijanden van oom Simon. Ze sprongen van hun stoel en renden door het gangpad naar het podium, waar ze oom Simon recht in zijn rood aangelopen gezicht bralden.

'Esper-ANto! Esper-ANto! ZA-men-hof!'

'We kunnen beter gaan,' zei mijn moeder, 'voordat het vechten wordt.' Ze trok me mee de zaal uit zonder oom Simon nog gedag te zeggen. Ik zag dat dat toch niet zou zijn gelukt. Hij had zijn vuisten opgeheven en ik vroeg me af of zijn vijanden hem zouden neerslaan. Hij was klein van stuk en zijn bijziende ogen stonden klein en kwetsbaar achter hun dikke brillenglazen. Alleen zijn golvend zwarte haar zag er robuust uit, geschulpt als het strand wanneer het water is weggeëbd.

Hoewel ik dit tafereel in mijn jeugd vele malen had meegemaakt, heeft het jaren geduurd voor ik de betekenis ervan werkelijk kon peilen. Tegen die tijd was mijn vader volgens mijn moeder 'indianengek': hij was verliefd geworden op het Zuidwesten en bracht met de hand gevlochten mandjes uit New Mexico mee voor mijn moeders vetplantjes en speelgoedezeltjes van laagjes gekleurd crêpepapier voor mij. Ik liep tegen de twintig toen hij mijn moeder overreedde om naar Arizona te verhuizen. 'Krankzinnig,' klaagde ze. 'Ik ben daar als een vis op het droge, van alles en iedereen afgesneden.' Ze maakte zich vooral zorgen om oom Simon, die inmiddels in zijn eentje in een mindere wijk woonde, in een kamer met een ijskast en een tweepitskomfoor verborgen achter een gordijn. Die Essie! Een scheiding! Het was een schandaal, en helemaal Essie's schuld; in onze familie had niemand zich ooit zo'n schande op de hals gehaald. Ze had oom Simon beschuldigd van rokkenjagerij.

'Wat is dat mens een serpent,' zei mijn moeder. 'Om nog maar te zwijgen van wat ze met de baby heeft gedaan.' Ze was een grote hutkoffer aan het vullen met linnengoed en bed-spreien. Ze trok de twee rimpels tussen haar wenkbrauwen samen. 'Wie weet hoe die mensen daar denken – daarginds ben ik niet meer dan de eerste de beste nieuweling die net van de boot komt. Ik ga nog liever dood dan dat ik daar ga wonen, maar papa zegt dat hij salarisverhoging krijgt als hij zijn rayon houdt.'

Dat van die baby had ik bijna mijn hele leven gehoord. Oom Simon en Essie waren niet altijd kinderloos geweest. Hun dochtertje, elf maanden en ze kon al lopen, was gestorven voor ik geboren was. Ze heette Henrietta. Ze waren naar Zuid-Amerika gegaan op een van die expedities van oom Simon – in die dagen ging Essie overal met hem naartoe. 'Ze liet hem geen moment uit het oog,' vertelde mijn moeder. 'Ze was altijd jaloers. Achterdochtig. Ze kon zich niet voorstellen dat Simon beter was dan zijzelf, daar ging het om. Ze was al zwanger toen ze gingen trouwen, weet je, dus ze was blij dat hij met haar trouwde. En ze mocht ook wel in haar hand-jes knijpen, want van wie die baby was? Kon Simon zijn, maar misschien ook niet. Niet, als je het mij vraagt. Ze had een vriendje gehad met net zo'n dikke bos zwart haar als Simon. Het kind had een kop prachtige zwarte krullen. Het arme ding kreeg zo'n ziekte die ze daarginds hebben, in Peru of Bolivia of zo'n land. Nee, dan moest je net Essie hebben, zou een normale moeder een baby meeslepen door een tropisch moeras?'

'Een moeras?' vroeg ik. 'De laatste keer dat u het over die baby had, was het een woestijn.'

'Woestijn of moeras, wat maakt het uit? Het was zoiets wat je in de Bronx niet hebt. Het gaat erom dat Essie dat kind heeft doodgemaakt.'

Ik was blij dat ik niet mee hoefde te verhuizen naar het Zuidwesten. Ik had ervoor geijverd dat ik in de stad mocht blijven studeren, hoofdzakelijk om te ontsnappen aan Arizona. Mijn vader had een jaar collegegeld aan New York University betaald en ook de helft van de huur van een portiekflatje dat ik deelde met een andere eerstejaars, Annette Sorenson. Het toilet was primitief, met een ouderwetse doortrekketting en een barst in de bak boven je hoofd waaruit bruin slijk lekte. In de badkuip zaten streperige rode vlekken die je met schrobben niet weg kreeg, hoe hard Annette ze ook met staalwol en chloor te lijf ging. Ze huilde bijna elke avond, niet van heimwee maar van ergernis. Ze kwam uit Briar Basin en was hier komen studeren omdat de NYU in Greenwich Village lag. ('Briar Basin, Minnesóta,' zei ze; ze verwachtte niet dat ik dat zou weten.) Ze was op zoek naar de bohème en kende de meeste gedichten van Edna St. Vincent Millay uit haar hoofd. Ze beweerde dat ze had ontdekt in welke zaal Thomas Wolfe precies had lesgegeven. Ze schuimde de cafés in de buurt af, maar was de legendarische *scene* nog niet op het spoor gekomen. Haar hunkering was in die buurt gemeengoed: ze wilde ooit actrice worden en in de tussentijd zou ze de sfeer inademen. Ze was blond en alles aan haar was groot. Haar schouderbladen stonden bijna een halve meter uit elkaar en haar polsen staken uit als wilde appels. Ik zag haar als een soort Walkure. Ze verkondigde melodramatisch dat ze geen maagd meer was.

Ik nam Annette mee op bezoek bij Simon. Het 'oom' had ik lang geleden laten vallen, daar was ik te oud voor. Mijn moeder herinnerde me er in haar brieven aan dat ik hem niet moest verwaarlozen. Soms had ze een briefje van twintig dollar ingesloten, bedoeld om bij Simon te worden afgeleverd. Ik wist dat mijn vader geloofde dat het geld voor mij was; nu en dan voegde hij een vermanend regeltje toe. Essie woonde nog in hun oude appartement in de Bronx en wist zichzelf redelijk goed te onderhouden. Ze had een baan in een herenkledingwinkel waar ze de hele dag in een achterkamer naaiwerk deed, zomen uitleggen en mouwen inkorten. Ik vermoedde dat Simon in de steun liep. Het leek me onwaarschijnlijk dat hij na al die tijd nog werd geschraagd door zijn idealisten van Park Avenue.

'Is jouw oom een of ander soort schrijver?' vroeg Annette toen we de trap beklommen. De houten treden kraakten melodieus en er zaten diepe rimpels in de oude verflagen op de balustrades. Ik had haar verteld dat Simon gek op woorden was. 'Echt gek, bedoel ik,' had ik gezegd.

Simon zat aan een bridgetafel verlicht door een schaarlamp. Links van hem lag een toren woordenboeken opgestapeld en rechts een schoteltje met een verdacht uitziend stuk kaas. In het midden stond een pot inkt. Hij was zijn vulpen aan het vullen.

'U krijgt de groeten van mijn moeder,' zei ik, en overhandigde Simon een envelop met het briefje van twintig dollar gevouwen in een bladzijde die ik uit mijn leerboek Hedendaagse Geschiedenis had gescheurd. Die bladzijde was leeg, afgezien van een foto van een zeppelin. Mijn vaders waarschuwing voor straatroof bij klaarlichte dag was dat je je geld altijd goed verpakt bij je moest dragen. 'Anders kun je er donder op zeggen dat die mafketels in de Village het te pakken krijgen,' had hij onderaan mijn moeders brief geschreven. Maar ik had het geld vooral ingepakt om Simon uitstel van vernedering te geven: misschien zou hij, al was het maar een ogenblik, denken dat ik hem weer een van mijn moeders kiekjes van cactussen en zandduinen bracht. Ze had onlangs een boxcamera aangeschaft: om niet voor een nieuweling te worden aangezien gedroeg ze zich als een toerist. In die tijd had ik nog niet door dat Simon het misschien helemaal niet vernederend vond om af en toe een donatie toegestopt te krijgen.

Hij schroefde de dop terug op de inktpot en monsterde Annette.

'Wie hebben we hier?'

'Mijn flatgenoot. Annette Sorenson.'

'Een flinke meid, kijk eens aan. Vikingbloed. Het zal je misschien interesseren dat ik een vrij zeldzame Scandinavische tweeklank in mijn werk heb opgenomen. Durfde Zamenhof niet. Die keek de andere kant uit. Had ie de ballen niet voor.' Simon grijnsde vanachter zijn brillenglazen. 'Een vriendin van mijn nichtje Phyllis is bij mij welkom. Maar een Esperantist nooit. Je bent toch geen Esperantist, hè?'

Dit, of iets dergelijks, was zijn gebruikelijke opening. Ik had onderhand wel uitgemaakt dat Essie gelijk had: Simon flirtte graag, en meer dan dat. Hij zat achter de meisjes aan. Een keer had hij zelfs aan mij gezeten: had zijn hand uitgestoken en mijn borst gepakt. Toen had hij zich bedacht. Hij kende me immers al van mijn kindertijd; hij kwam tot inkeer. Of anders (want het was januari en in elk geval had ik een zware wollen overjas aan) had hij niet veel gevonden wat de moeite van het vastpakken waard was. Ik op mijn beurt deed of mijn neus bloedde. Ik was achttien, ik had ogen in m'n kop en ik wist al het een en ander. Maar je kon wel zeggen dat het me een nieuwe kijk op Simon gaf. De verbreiding van het GNOE was niet het enige waar zijn hart voor klopte.

In opdracht van mijn moeder deed ik zijn ijskast open. Er steeg een ranzige geur uit op. Er lag een vormeloos voorwerp in dat aan de randen groen verkleurd was, de andere helft van de kaas op zijn schoteltje. De melk was zuur, dus die spoelde ik door het toilet. Simon stak onderwijl zijn vaste riedel af en onderhield Annette over de kwade geschiedenis van het Esperanto en zijn infame schepper en kampioen, dr. Ludwik Lazar Zamenhof uit Bialystok in Polen.

'Ze spraken daar vier talen, stel je voor! Vier miezerige

talen! En daar haalt hij zijn inspiratie uit? Vier talen? Heeft ie ooit verder gekeken dan de Europese wortels? Nooit! Die man leefde in een vijver en daar is ie nooit uit gekomen. Afgesneden! Klein! Beperkt!'

'Ik ben zo terug,' riep ik vanuit de deuropening en liep terug naar de kruidenier op de hoek om Simons armzalige provisiekast bij te vullen. Ik had die hoogdravende verhalen al te vaak gehoord: Simon die zich als enige aan een werkelijk universele taal had gewaagd, die tot ver buiten Zamenhofs schamele horizon was gezworven en de eindeloze getijden van de menselijke spraak had verkend, die hij tot een ware synthese had gebracht, een compacte wereldtaal die in harmonie en kracht zijn gelijke niet kende. En toch tragisch overschaduwd: overschaduwd door de discipelen van Zamenhof, die gelovigen op een dwaalspoor, die aanbidders van een valse messias! Een oogarts is ie, die charlatan, en kijk eens hoe hij al zijn volgelingen verblindt: Germaanse wortels, Romaanse wortels, Slavische, en dan houdt ie op, alsof India niet bestaat, of China, of Arabië! Weg met de Aleoeten! Waarom hield die vent zich niet gewoon bij het Jiddisch waarin hij was opgevoed, dat was polyglot genoeg, meer had ie niet nodig! Is ie ooit ook maar twintig kilometer in de Oriënt doorgedrongen? In de Levant? Nee! Waarom heeft ie zich dan niet bij het Pools gehouden? Een oogarts die niet verder kon kijken dan zijn neus lang was. *Hamlet* in het Esperanto, heb je ooit zo'n gotspe gehoord?

Enzovoort: Esperanto, bedrog, nep, onrecht!

Toen ik de trap op kwam met brood en melk en eieren, in de Navajo-tas met rieten grepen die mijn moeder Simon als cadeau had gestuurd, hoorde ik Annette zeggen: 'Maar ik heb nooit geweten dat Esperanto zelfs maar bestónd,' en ik zag dat Simon Annettes hand in de zijne had. Hij omcirkelde haar pink met zijn grove duim, die naar achteren krulde als een verbogen lepel. Ze scheen het niet erg te vinden.

170

'Je moet hem niet gek noemen,' las ze me de les. 'Hij is alleen teleurgesteld.' Tegen die tijd stonden we alweer buiten. Ze keek naar Simons raam op de derde verdieping. Het schitterde naar haar terug als een signaal, het was getroffen door de late zon. Ik zag dat ze een wit velletje papier in haar hand had waarop iets was geschreven.

'Wat is dat?'

'Een woord dat hij me heeft gegeven. Een gloednieuw woord dat niemand nog ooit heeft gebruikt. Hij wil dat ik het leer.'

'O, mijn god,' zei ik.

'Het betekent "bekoorlijke maagd", is dat niet mooi?'

'Er is alvast een deel dat niet klopt.'

'Ach, kom, Phyllis, schei uit. Hij denkt dat ik hem kan helpen.'

'Jij? Hoe dan?'

'Ik kan mensen werven. Hij zegt dat ik jonge mensen zou kunnen interesseren.'

'Ik ben een jong mens,' zei ik. 'Het heeft mij nooit geïnteresseerd en ik heb mijn hele leven al naar dat gezever van Simon moeten luisteren. Hij verveelt me suf.'

'Nou ja, hij zei wel dat je een aardje naar je vaartje had, wat dat ook moge betekenen. Een profeet wordt in zijn eigen familie niet geëerd, zei hij.'

'Simon is geen profeet, hij is een oude gek.'

'Het kan me niet schelen wat hij is. Zo iemand kom je in Minnesota niet tegen. En hij draagt zelfs sandalen!'

Kennelijk had ze eindelijk haar bohemien gevonden. Die sandalen had hij ook van mijn moeder. Ze waren, net als de foto's van de cactussen en de duinen, bedoeld als souvenirs van het verre Arizona.

Daarna opende zich, hoewel Annette en ik binnen handbereik van elkaar aten en sliepen, een kloof tussen ons. Een kans op vriendschap was er nooit geweest. Ik was serieus en vlijtig, zij niet. Ik ging naar elk college, Annette miste bijna al de hare. Ze kon à la minute in tranen schieten. Ik hield mijn ogen vastbesloten droog. Ik had trouwens zo mijn argwaan tegen mensen die zich graag aanstelden en dachten dat ze van het ene moment op het andere konden veranderen in Katharine Cornell, de beroemde actrice. Annette had het over 'tragédiennes' en 'theatermensen' en begon rond te paraderen met groene lippenstift en zwarte kousen. Maar zelfs dat sleet na een tijdje. Ze ging haar maaltijden buiten onze flat gebruiken. Ze had een geheim dagboek met een gevlekte kaft dat met een riempje vastzat aan een paarse sjerp die ze om haar middel bond. Ik had haar niets te zeggen en toen ze me iets van een maand later meedeelde dat ze had besloten te vertrekken ('Ik moet mijn eigen soort mensen opzoeken,' legde ze uit) kwam het als een grote opluchting.

Ik maakte me ook zorgen. Een nieuwe flatgenoot durfde ik niet goed te riskeren, maar zou mijn vader bereid zijn de hele huur voor zijn rekening te nemen? Ik uitte mijn zorgen in een brief naar Arizona; het antwoord kwam onverwacht van mijn vader en niet, zoals gebruikelijk, in een neergekrabbeld naschrift onder mijn moeders grote ronde schuine letters die ze van een Palmercursus had. Dat extra geld, schreef hij, was geen probleem. 'Geloof het of niet,' schreef hij, 'maar je moeder denkt dat ze rijk is, ze is een zaak begonnen! De ene dag loopt ze rond en verzamelt riemen met kraaltjes en leren poppen en God weet wat voor goedkope rommel die de mensen hier wordt aangesmeerd, en voor ik nog eens kijk heeft ze zo'n petieterig souvenirwinkeltje opgezet en laat ze die goedgelovige toeristen dure dollars betalen voor dingen die haar nog geen dubbeltje kosten. Prullaria! Eerlijk gezegd heb ik nooit geweten dat ze die onzin in zich had, en zij ook niet.'

Deze keer kwam het naschrift van mijn moeder, maar ik zag dat er een latere datum boven stond en ik vermoedde dat ze de brief op de bus had gedaan zonder dat mijn vader haar addendum had gezien. Het was een soort toegevoegde clausule waarmee ze hem in de beklaagdenbank zette. 'Ik weet niet waarom je vader zo verbaasd is,' klaagde ze op een zo vertrouwde toon dat ik in haar uitwaaierende handschrift bijna haar stem kon horen. 'Ik heb altijd een artistieke inslag gehad, al liep ik er niet steeds mee te koop, en ik stel het niet op prijs als je vader me zo kleineert, enkel omdat het leven hier voor hem een desillusie is geworden. Hij zegt dat hij het spuugzat is en heimwee heeft, maar ik niet, en het begint er nu al op te lijken dat mijn galerie een succes is: allemaal authentiek Hopi-werk! Maar dat is typisch je vader: het geringste teken van cultuur en ambitie, en hij moet het gewoon afkraken. Dat deed hij jarenlang met Simon en nu doet hij het met mij. En Phyllis, liefje, over Simon gesproken: hij moet wel genoeg groente eten. Ik hoop dat je erom denkt dat je hem nu en dan een salade brengt.' Daar viel een briefje van vijftig dollar uit de envelop.

Dat mijn moeder me buiten mijn vaders medeweten schreef zat me niet dwars. Dat was net zoiets als haar pogingen van lang geleden om onze bezoeken aan Simons bijeenkomsten verborgen te houden. Maar ik voelde mijn schuldgevoel gloeien: ik had Simon verwaarloosd, ik was al in geen... ik wist niet eens meer hoeveel weken ik niet bij hem langs was geweest. Weken zeker; twee maanden, drie? Ik had een hekel aan die bezoekjes; ik had een hekel aan de verantwoordelijkheid die mijn moeder over me had gezonden. Simon was erger dan een vervelende oude gek. Hij stond buiten mijn jeugd en mijn leven. Als ik aan hem dacht rook ik een vieze geur, net als die van zijn ijskast.

173

Maar ik hakte gehoorzaam sla en komkommers en groene pepers en goot er een dressing van knoflook en olie overheen. Toen verpakte ik het vijftigdollarbiljet zorgvuldig in vetvrij papier en stopte het in een opgevouwen stuk karton met een elastiek eromheen en ging op weg naar Simon. Twee verdiepingen onder de overloop naar zijn flat kon ik het tumult er al uit horen echoën: een onverstaanbaar geschreeuw, flarden gelach en een vreemd gebroken gehuil dat alleen in de verte aan gezang deed denken. De deur stond open; ik keek binnen. Daar zwermde een bende acolieten – nee, zwermen was eigenlijk het woord niet, want in het vierkantje van Simons woonkamer, met het sofabed in de ene hoek en de provisorische provisiekast (een paar houten kratten) in de andere, was nog geen voet ruimte vrij om zwermen mogelijk te maken. Maar toch: wat ik in de wiegende wirwar van enkels en benen kon onderscheiden, krioelde en gonsde als een bijenkorf: gehurkt, ineengezakt, uitgestrekt, geleund, opgekruld, achteroverliggend. En van midden in deze werveling van vlees klonken de gorgelende lettergrepen van het GNOE: Annette. Daar stond ze, verrezen als een toren, massief als baksteen. Ze leek te krassen – kwaken? kakelen? koeren? – wie zou het kunnen zeggen, bij gebrek aan iets verstaanbaars. Waren dit de klanken en cadensen van de wereldtaal? Ik kon niet zeggen dat ik verbaasd stond: Annette was al vanaf het begin zozeer mijn ongewenste lot geweest. Wat kon ze nu anders zijn, hier verrezen, in de boezem van GNOE zelf? Hoewel: was ze al niet míjn lot, ze was in elk geval van plan dat van Simon te worden. Ze had zijn oude bijeenkomsten nieuw leven ingeblazen – aan de sfeer die hier heerste was af te lezen dat het niet de eerste was, of de laatste. Maar er ontbrak iets. Tussen deze dwepers, als het al dwepers waren, hielden zich geen vijanden schuil.

In die tijd was heel de Village een broedplaats van mensen met de gekste bevliegingen: anarchisten die 's avonds braaf naar hun moeders keuken teruggingen, een Hongaarse monarchist met zijn eigen gevolg, dichters van vrije verzen die hoofdletters meden, Reich-vereerders die urenlang verrukt in orgonboxen zaten, wazige Swedenborgianen en nog heel wat meer. Zulke rages hebben mij nooit getrokken, ik was door mijn vroege kennismaking met Simons fanatiekelingen voldoende gevaccineerd. Wat betreft de vraag waar Annette deze huidige ploeg vandaan had gehaald, veronderstelde ik dat ze uit de lossere marges van haar theatervolk waren geplukt. Bevestiging van dit vermoeden vond ik in zwarte kousen en groene lipstick hier en daar. En geen Esperantisten. Zamenhof was deze nieuwe rekruten even vreemd als, zeg, het GNOE twee maanden geleden. Er was hier niemand die de neiging zou hebben Simon neer te slaan.

Annette keek op van haar vlekkerige schrift. De kronkelende strengen torso's rondom haar werden inert en alert.

'O, mijn god, daar heb je Phyllis,' zei ze. 'Wat doe jij hier? Zie je niet dat we bezig zijn, dat we aan het wérk zijn?'

'Ik kom mijn oom alleen een groene salade brengen –'

'Groenkapje, o wat lief. Ze is niet écht zijn nicht,' legde Annette de menigte uit. 'Ze geeft geen zier om hem. Hé Phyl, je denkt toch niet dat we zo'n man zouden laten verhongeren? En als je wil weten hoe een echte groene salade eruitziet, heb je hier een groene salade.' Ze dook naar de grond en zwiepte overeind met een grote rieten mand (alweer een souvenir van mijn moeder) vol grasgroene dollarbiljetten. 'De contributie van deze week,' liet ze me weten.

Ik overzag de lichamen aan mijn voeten en probeerde ze te sorteren. 'Waar is hij?'

'Simon? Is er niet. Donderdag is zijn dag weg, maar hij heeft ons de vorige keer de nieuwe woorden gegeven, dus wij gaan door. We doen dialoogjes, we beginnen het te pakken te krijgen. Wij zijn z'n pioniers,' oreerde ze: Katharine Cornell van top tot teen.

'En dan verbreidt het zich als een prairiebrand,' riep een stem.

'Zie je?' zei Annette. 'Sommige mensen begrijpen het. Die arme Phyl is er nog altijd niet achter. Simon gaat tegen de Bijbel in, hij is een atheïst.'

'Zegt hij dat?'

'Wat ben jij toch een dómkop,' snauwde ze. 'De toren van Babel heeft hem toch op het hele idee van GNOE gebracht? Zodat het leven weer wordt als vroeger. Zoals daarvoor.'

'Waarvoor? Voordat ze gekkenhuizen hadden uitgevonden? Kijk,' zei ik, 'wat mij betreft is Simon niet helemaal goed bij zijn hoofd, dus moet ik –' Maar ik brak de zin uit schaamte af. 'Ik moet op hem letten, ik ben zo'n beetje verantwoordelijk voor hem.'

'Verantwoordelijk? Hoe verantwoordelijk? Hoe lang is het eigenlijk al geleden dat je hier je gezicht hebt laten zien?'

Annette was sluwer dan ik ooit zou kunnen worden, zag ik. Ze was dom en ze was ernstig. De domheid zou blijven en de ernst zou misschien vervliegen, maar de combinatie van de twee ontstak een vulkanische doelgerichtheid: ze was erin geslaagd Simons verdorde oude fossiel te injecteren met nieuw bloed. Ze was een eersteklas organisator. Ik vroeg me af hoeveel zij van die wekelijkse groene salade meenam. En waarom niet? Als commissie op de contributies die zij inde? Zaken zijn zaken.

'Waar ís hij?' hield ik aan. Ik stond daar nog steeds met die schaal met gesneden groenten en ontdekte ineens dat mijn handen trilden: van woede, van vernedering.

'Op bezoek bij een familielid. Dat zei ie.'

'Een familielid? Hij heeft hier geen familie, alleen mij.'

'Hij gaat er elke donderdag naartoe, misschien is het zijn vrouw.'

'Zijn ex-vrouw. Ze zijn al jaren gescheiden.'

'Nou, híj wilde niet scheiden, wel? Hij is een man die graag liefde geeft, maar misschien niet aan jou. Hij geeft terug wat hem gegeven wordt, daarom, en geloof me, hij zit echt niet te wachten tot jij op een blauwe maandag opduikt met dat konijnenvoer van je.' Achter haar brak de menigte op. Men was afgeleid, men was geïrriteerd, men was ongeduldig, de ban was gebroken, men strekte zijn armen en benen. Men gromde, en niet in het universele vocabulaire. 'Kijk nou eens wat je doet,' verweet Annette me, 'zo binnen komen vallen. Het ging net zo mooi en dan kom jij de boel verstoren.'

Behoedzaam bracht ik mijn moeder op de hoogte. Ik was bij Simon geweest, schreef ik, en het ging hem prima. Uitstekend zelfs. Hij had zijn oude leventje weer opgepakt en hij had een nieuw stel aanhangers. Zijn werk bereikte de volgende generatie en hij had zelfs een agente om hem te helpen. Ik schreef haar niet dat ik Simon niet werkelijk had gezien, en ik durfde niet te laten doorschemeren dat hij misschien weer op vrijersvoeten was met Essie: dat had Annette immers gesuggereerd? Ook bekende ik niet dat ik het vijftigdollarbiljet weer had uitgepakt en zelf had gehouden. Ik had er geen recht op, als commissie kon het niet gelden. Ik had niets voor Simon gedaan. Ik had mijn moeders opdracht verzaakt.

Mijn moeders antwoord bleef lang uit. Dat was op zich al vreemd genoeg: ik had direct een juichkreet verwacht. Ik had Simons victorieuze herrijzenis bedrieglijk uitbundig afgeschilderd en GNOE een zekere toekomst voorspeld, met massa's gebiologeerde en leergierige jonge mensen die toestroomden naar zijn lezingen, waarvan er vele, zo had ik gelogen, werden gehouden in de Grote Aula van de Cooper Union, vanaf hetzelfde spreekgestoelte dat Lincoln zelf ooit had geheiligd.

Terwijl het enkel Annette was, enkel de Village die om zijn wispelturige as draaide: de menigte zou spoedig doortollen naar de volgende nieuwigheid.

Maar mijn moeder had haar eigen spinnewiel. Zij draaide om haar eigen as en Simon was de laatste tijd naar de periferie gedrukt. De lome krullen van haar Palmerschrift maakten plaats voor snelle hanenpoten. Ze kwam tijd te kort, liet ze me weten, ze had geen tijd, helemaal geen tijd, het was fijn te horen dat het met Simon goed ging, dat hij na al die jaren eindelijk over die dwaas van een Essie heen was, die feeks die hem altijd in de weg had gestaan, maar er was zoveel gaande en het ging zo snel, de galerie werd overstroomd door al die toeristen op zoek naar handwerk, de zaak draaide als een dolleman, ze was uitgeput, ze had personeel moeten aannemen en intussen, schreef ze, heeft je vader ontslag genomen en maar goed ook, ze had hem nodig in de galerie en ja, hij had toch zijn pensioentje, dus dat zat wel goed, behalve dat het er helemaal niet toe deed, ze had zoveel voorraad en die ging er zo snel doorheen dat ze het gebouw naast haar had moeten kopen om alles te kunnen bergen wat binnenkwam, en wat binnenkwam ging er in een dag alweer uit en je vader, stel je voor, doet de boekhouding en noemt zich Accountant, moet hij zelf maar weten hoe hij zich noemt, ze waren zich gek aan het importeren, kachinapoppen uit Japan, nou ja, ze zien er wél echt uit en de klanten zien het verschil toch niet...

Ze leek zich van Simon los te maken. Bevrijd door de kachina's. Het speet me niet dat ik haar had misleid; was zij niet degene die het me had geleerd? Ik op mijn beurt voelde er niets voor om op Simon te passen. Hij was nep. Hij was kletspraat. Wat misschien was begonnen als een passie, was verworden tot flessentrekkerij. Simons utopie was nu niet meer dan een Village-rage, met Annette als eendagspriesteres. Maar wat had Essie, die haar oude ogen blind zat te naaien in een van pluis en stof vergeven achterkamer van een derderangs herenmodezaak, met dat alles te maken, op donderdag of welke dag dan ook? Ze had hem het huis uit gezet, en met reden. Ik veronderstelde dat ze met Simons ontrouw ook haar trouw aan GNOE overboord had gezet. Hoeveel struise jonge Annettes had hij in die decennia bepoteld?

Ik ben niet meer teruggegaan naar Simons flat. Ik heb gedaan wat ik kon om hem uit mijn gedachten te duwen maar er waren herinneringen en obstakels. Mijn moeder stuurde me in haar voortgalopperende welvaart geen bankbiljetten meer maar grote cheques. Het geld was niet meer voor Simon, stelde ze me gerust; ik had haar gerustgesteld dat hij van de springplank was gekomen van wat, in mijn voorstelling van zaken, een verlate maar bloeiende carrière was. Het geld was voor mij: voor collegegeld en de huur en studieboeken natuurlijk, maar ook voor nieuwe jurken en schoenen, om naar de film te gaan en om te trakteren. Met elke cheque – en die kwamen nu in onregelmatige maar frequente moederlijke golven – stak Simon een vinger in mijn oog. Hij viel me lastig, hij schuurde, hij knaagde. Ik begon in te zien dat ik nooit van hem af zou komen. Annette en haar bende zouden hem laten vallen. Als haar arendsklauwen hem loslieten, zou hij rechtstreeks in mijn onwillige handen vallen. En toch ging ik niet terug.

In plaats daarvan daalde ik op Astor Place (waar aan de andere kant van een brede kruising mijn leugen opdoemde: de eerbiedwaardige rode bakstenen Cooper Union) af in de metro en begaf me naar de Bronx, naar Essie. Ik vond haar waar de tijd haar had achtergelaten, op nummer 2-C op de eerste verdieping van de oude portiekflat. Het was geen verrassing dat ze me niet herkende. We hadden elkaar voor het laatst gezien toen ik twaalfenhalf was en in navolging van mijn moeder consequent onbeleefd tegen haar.

'Wie zei je dat je was?' Ze tuurde wantrouwig door het kijkgaatje. Aan mijn kant zag ik een treurig bruin oog verbaasd uitkijken vanonder zijn afgezakte huif.

'Phyllis,' zei ik. 'De dochter van Ruby en Dan. Uit het volgende blok.'

'Die zijn al jaren weg uit de buurt. Ik weet niet waarheen. Vraag het iemand anders.'

'Essie, ik ben het, Phyllis!' herhaalde ik. 'Mijn moeder nam me altijd mee om naar oom Simon te luisteren.'

Toen liet ze me binnen terwijl ze tegelijkertijd die vertrouwde, snelle zware zucht slaakte die ik direct herkende, alsof haar long was doorboord door een of andere innerlijke krompasser. Ze hield me standvastig maar ook passief in het oog, als iemand die in de bioscoop zit te wachten tot de paarden gaan steigeren.

'Krijg nou wat, die van Simons nicht,' zei ze. 'Jouw moeder heeft mij nooit gemogen.'

'O, nou, ik weet nog hoe ze u bewonderde als u zong –'

'Ze bewonderde Simon. Ze was helemaal weg van hem. Net als elke vrouw die hem voor de voeten kwam, hoe jonger hoe beter. Ik zou er niet van opkijken als hij op dit moment een of ander meissie in z'n bed had, waar ie ook zit.'

'Maar hij komt u opzoeken, en dat zou hij toch niet doen als hij niet met u wou –' ik moest diep zoeken naar het eenvoudigste woord: 'samenzijn. Herenigd, bedoel ik. Op zijn leeftijd. Nu hij... ouder is.'

'Komt mij opzoeken? Simon?' In haar ogen steigerden de paarden. 'Waarom zou hij dat willen, na al die tijd?'

Daar had ik geen antwoord op. Daarvoor had ik nou een uur of langer in de metro verduurd, om dat te horen te krijgen. Als Simon weer bij Essie ondergebracht kon worden, dan zou – zoals Annette het had geformuleerd – alles weer worden zoals vroeger. De toren van Babel had er niets mee te maken, het was meer een kwestie van het zwaard van Damocles, van Simons toekomst die mij vervaarlijk boven het hoofd bungelde. Ik wilde hem terug in de Bronx hebben. Ik wilde dat hij nummer 2-C weer betrok. Ik wilde dat Essie hem zou opeisen.

De kamers van haar flat hadden de luchtloze geur van oudere mensen. Ze waren veel te druk ingericht met massieve, donker geoliede meubelstukken en porseleinen beeldjes op elk oppervlak. Een dressoir lag bezaaid met lege spoelen en verfrommeld vloeipapier. Een halve wand werd in beslag genomen door een stokoude naaimachine met een gietijzeren trapper; ertegen geleund stond een rafelige paspop. In de slaapkamer speelde een radio; door de ruisgolven heen ving ik flarden opera op. Hoewel het een zachte zondagmiddag begin mei was stond er geen raam open, maar desondanks zat tegen de flanken van de suikerpot een smaldeel vliegen aan hun pootjes te likken. De keukentafel (daar had Essie me naartoe geleid) was bedekt met blauw gebloemd wasdoek, her en der gebarsten zodat de katoenen voering doorscheen. Ik wuifde de vliegen weg. Ze cirkelden een minuut lang vlak onder het plafond en wierpen zich toen als zwarte regendruppels tegen de ruiten. De geur was er een van een bedompte bewegingloosheid.

Essie was beslist: 'Simon is hier niet meer geweest sinds wanneer het ook was. Sinds de scheiding. Hij komt hier nooit.'

'Niet op donderdag?' De vraag bleef in al haar onnozelheid hangen. 'Ik hoorde dat hij bij familie op bezoek ging, daarom dacht ik –'

'Ik ben geen familie van Simon, niet meer. Ik zeg het je net, ik heb hem in geen jaren meer gezien. Hoe kom je nou op zo'n idee?'

'Van... zijn assistente. Hij heeft tegenwoordig een assistente. Een soort manager. Zij regelt zijn bijeenkomsten.'

'Zijn manager, zijn assistente, zo noemt ie ze. En als ze even niet opletten, belazert hij ze. En hoe komt het dat hij nog altijd van die zogenaamde bijeenkomsten houdt? Wie betaalt de rekening?' Ze hoestte een wanordelijke lach die half klonk als een kleffe zucht. 'Die beroemde geldbuidels van Park Avenue?'

De lach was te groot voor haar lichaam. Haar botten waren gekrompen en hadden pukkelige, nutteloos afhangende huidplooien achtergelaten. Haar handen waren griezelig geaderd.

'Luister, meissie,' zei ze. 'Simon komt hier niet, er komt hier niemand. Een buurvrouw komt passen, ik haal een zoom op, ik zet een zak in, dan komt er iemand. Vroeger kwam er nog een stel van die oude Esperantisten langs, toen Simon net weg was, maar toen hield dat op. Die zijn onderhand waarschijnlijk dood. Dat hele gedoe is dood. Het is een wonder dat Simon niet dood is.'

De vliegen hadden zich weer op de suikerpot gevestigd. Ik stond op om weg te gaan. Het kon niet duidelijker zijn: een hereniging was uitgesloten. Nummer 2-c zou Simon niet meer zien.

Maar Essie trok me aan mijn mouw. 'Vergis je niet, ik weet toch wel waar ie heen gaat. Donderdag of niet, hoe kan ik dat weten, maar elke week gaat ie daarheen. Hij gaat er altijd heen, dat houdt nooit op.'

'Waarheen?'

Ik vroeg het met tegenzin. Stond ze op het punt me in een opsomming van Simons belazerij te trekken? Dacht ze dat ik een geschikt gehoor was voor de verzuurde oude wrok van een gescheiden bejaarde?

'Waarom zou ik jou vertellen waarheen? Wat heb jij ermee te maken? Simon heeft het je moeder nooit verteld, hij heeft het niemand ooit verteld, dus waarom zou ik het jóu vertellen? Ga zitten,' commandeerde ze. 'Wil je wat drinken? Ik heb Coca-Cola.'

De fles was lang geleden al open geweest. Het glas was besmeurd. Ik voelde me gevangen in een troosteloze gastvrijheid. Nu ik had gekregen waar ik voor kwam – of juist niet – wilde ik niets meer weten.

Maar ze had mijn arm in haar greep. 'Je denkt toch zeker niet dat ik op mijn tijd van leven nog op tafel zit in een achterkamertje van iemands broekenzaak, of wel? Ik heb mijn eigen zaak, mensen komen hier in mijn eigen eetkamer bij me passen. Ik bedoel, ik ben iemand die zichzelf kan onderhouden. Ik heb mezelf altijd kunnen onderhouden. Mijn god, wat was jouw moeder goedgelovig! Wat die niet zou geloven, ze slikte alles!'

Mijn moeder goedgelovig? Zij die op datzelfde moment haar goedgelovige toeristen Pueblo-huisvlijt in de maag splitste, rechtstreeks uit de fabriek in Japan?

'Als u bedoelt dat ze in Simon geloofde –'

'Ze geloofde alles.' Toen liet ze me los en verzonk in een ontwijkend gefluister. 'Ze geloofde wat er met de baby was gebeurd.'

Dus het was geen simpele wrok die ik die middag van Essie meekreeg. Het was breder en dieper en erger en vreemder. En wat ze ontweek, wat ze afdeed als banaliteit en bagatel, als gezeur en haarkloverij, was Simon en zijn rokkenjagerij. Hij had zijn meissies, zijn assistentes en managers, en wie zei haar – terwijl ze me aanstaarde tot ik m'n ogen neersloeg – dat ik niet een van hen was? Nee, de kleine van z'n nicht, zo ver zou hij niet gaan, en als hij dat wel deed, wat dan nog? Wat maakte het haar nog uit dat ik de kleine van zijn nicht was, de nakomeling van een onnozel mens, een imbeciel die je alles op de mouw kon spelden, die het allemaal slikte, die je elk soort hocus pocus kon verkopen...

'Ruby kreeg een dochter,' zei ze – lethargisch, alsof ze een algebraïsche vergelijking opdreunde – 'ze kreeg jóu, en tegen die tijd, wat had ik toen? Een lege wieg, en toen niks, niks, leeg –'

Toen ik vier uur later bij Essie wegging, wist ik wat er met de baby was gebeurd. Op Astor Place kwam ik uitgedroogd en uitgehongerd uit het donker van de metro boven in het donker van negen uur: ze had me niets aangeboden dan dat bodempje cola zonder prik. In plaats daarvan had ze gepraat en gepraat, luid en laag in dat muizige gefluister, al te vaak onderbroken door die grote barse grove bittere lach van haar. Het wás ook een grap, verzekerde ze me, het was een grap en een zwendeltruc, en nu zou ik horen wat een goedgelovig mens mijn moeder was, hoe gemakkelijk ze te bedotten was, hoe gemakkelijk de hele wereld te bedonderen was. Ze klauwde naar me, ze maakte me haar muze, ze gaf me haar leven. Ze opende mijn ogen, en waarom? Omdat haar kind dood was en ik niet, of omdat mijn moeder een goedgelovig mens was, of omdat haar keuken vol vliegen zat? Wie zou het werkelijk kunnen zeggen? Ik was als een donderslag bij heldere hemel bij haar binnengevallen, uit de ether, uit het verleden (niet mijn verleden, ik was niet gekomen om iemands muze te worden, ik was alleen gekomen om van Simon af te zijn), en als ik zo nodig moest komen spioneren kon ze me net zo goed haar hele levensverhaal vertellen. Of moest ze voor me zingen? Ze kon nog wel een paar regels in het GNOE zingen, dat was ze nog niet vergeten.

Ik heb haar niet gevraagd om te zingen. Ze had haar nagels in mijn vlees geslagen, alsof ik anders zou vluchten. Ze trok me terug, en verder terug, in haar leven als jonge vrouw, toen ze net met Simon was getrouwd en Retta al twee maanden in haar buik zat en Simon in zijn derde jaar op City College, ver weg uptown, met zijn dromen van de filologie, wat een rare naam voor zo'n snobistisch gedoe (alsof zulke dingen niet veel te hoog gegrepen waren voor een jongen uit de Bronx!), lang niet klaar voor het huwelijk en vaderschap en echt niet van plan het te proberen. En daar had je al de eerste grap van allemaal, want die andere jongen uit Cincinnati, die op bezoek was bij zijn tante (zijn tante woonde om de hoek) en die Essie een week lang elke avond in het park ontmoette, die ging uiteindelijk terug naar Ohio... Ze had Simon niet verteld van die andere jongen met zijn krullen, die al zijn r's uitsprak zoals ze het in het Midden-Westen doen; zelfs onder het baldakijn had Simon nog geen benul van die jongen uit Ohio. Hij meende gewoon dat hij deed wat een man behoort te doen als hij zonder erg een kind heeft verwekt. Dat was de eerste van alle grappen, de eerste van alle trucs, maar de grap ging net zo goed ten koste van haarzelf, want ze wist net zomin als enig ander wie de papa van Retta was, de jongen uit Ohio of Simon. Simon moest zijn studie toen opgeven en ging als verkoper werken in een herenkledingzaak in East Tremont Avenue. Essie had hem aan haar baas voorgesteld; ze was handig met naald en draad en was al een half jaar bezig met broeken korter maken, overhemden innemen en tailles uitleggen.

Hun eerste zomer deden ze wat alle jonge stellen met baby's in die tijd deden. Ze ontvluchtten de gloeiende straten van de Bronx en huurden een *kochalein* in de bergen, in zo'n bungalowpark in de Catskills, dicht bezaaid met rijen bedompte eenkamerhuisjes met hooguit een waslijn ruimte ertussen. Elk huisje had zijn eigen kleine fornuis en ijskast en een piepkleine veranda ervoor. De moeders en de baby's brachten de maanden juli en augustus door in de schaduw van de groene bladeren, tussen wilde tijgerlelies zo oranje als de avondzon in de bergen, en de vaders kwamen in het weekend over uit de stad met zakken brood en kadetjes en vettige pakketten met gebak en gerookte witvis. Tijdens een van die weekends besloot Essie Simon de grap te vertellen van de baby, daar was ze zo mee bezig en ze dacht dat ze het hem nu wel kon vertellen omdat hij zo gesteld was op de baby, hij was gek op Retta, en de waarheid is de waarheid, dus waarom niet? Ze had als kind geleerd de waarheid te zeggen, ook als de waarheid soms net een grap is.

Maar hij vatte het niet op als een grap. Hij vatte het op als een truc en bleef de volgende twee weekends weg. Essie, alleen gelaten met haar kind en de schande, ging wandelen in de natuur, ontdekken wie haar buren waren en in wat voor kolonie ze waren terechtgekomen. Alle wegen werden geplaagd door zwermen wespen en één keer zag de baby, wijzend en hijgend, een schildpad door het stof kruipen. Ze volgden de schildpad naar de overkant en vonden een gemeenschap trotskisten en daarachter, hoger op de berg, de aanhangers van Henry George, en weer lager, in de richting van het dorp, een nest tolstojanen. Wie ze ook waren, ze kregen allemaal weleens een scheur in hun kleren, ze hadden allemaal verstelwerk, ze wilden allemaal handgemaakte babykleertjes, ze keken allemaal al uit naar nette kleren voor de herfst, dus Essie had haar werk voor die zomer gevonden.

Toen Simon terugkwam, nog steeds in een slecht humeur, informeerde Essie hem dat ze in de tussentijd vierenvijftig dollar en vijfentwintig cent had gevangen en nog veel meer kon verdienen als ze maar een naaimachine had en dat ze, afgezien van dat alles, iets merkwaardigs had ontdekt dat hem misschien zou interesseren: de buren links, de buren rechts en overal, voor en achter en rondom – waarom was het haar niet eerder opgevallen? maar ja, ze was druk met de baby, en nu met haar naaiwerk – al hun buren kwetterden met elkaar in een soort geheimtaal. Soms klonk het als Duits, soms als Spaans (het klonk nooit als Jiddisch), en soms kon ze het helemaal niet thuisbrengen. Ze kwamen in groepjes samen op de verandaatjes, niets meer dan lekkende houten afdakjes; ze leken te studeren en ze wisselden voortdurend commentaar uit in dat rare gebrabbel. Ze brabbelden zelfs in dat taaltje tegen hun kinderen, die met hun ogen rolden en antwoord gaven in normaal Engels.

Zo kwam Simon tussen de Esperantisten terecht. Bella was een van hen. Ze woonde vier huisjes verderop en had een jongetje van een maand of twee ouder dan Retta. Julius, haar man, kwam maar zelden langs; in zijn baan, wat hij ook deed, moest hij het hele weekend doorwerken. Bella bestelde een katoenen blouse en een gebloemde rok (dirndl was in de mode) en kwam vaak bij Essie zitten als ze ijverig zat te naaien. De twee baby's lagen met hun knuffels en rammelaars te murmelen en te kraaien aan hun voeten. Het was alles bij elkaar best een aangename tijd en toen Simon aankwam uit de stad en hij de jonge vrouwen zoetjes zij aan zij zag zitten met hun kinderen die om hen heen kropen, leek hij niet meer zo uit zijn humeur. Hij hield nu zijn mond over Essie's bedrog, als het al bedrog was, want Essie wist het immers zelf niet zeker en die jongen uit Ohio was inmiddels nog slechts een vervlogen bevlieging. En trouwens, Retta's mooie krullen golfden net zo zwart en weelderig als die van Simon zelf en Essie maakte winst, indrukwekkend veel meer dan Simon kon verdienen met het verkopen van herenondergoed in de Bronx. Hij liet op een middag in augustus een tweedehands naaimachine bij het huisje bezorgen. Essie sprong op en zoende hem, zo blij was ze; het was alsof de slanke metalen hals van de naaimachine hun band had hersteld.

Daarna namen de bestellingen bij Essie toe en op zaterdag- en zondagochtend, als zij de machine liet snorren, ging Simon van de ene veranda naar de andere en genoot van de kameraadschap van de Esperantisten. Zij wilden natuurlijk graag bekeerlingen maken en hij wilde niets liever dan bekeerd worden. Van hen allen was Bella het verst. Ze was niet precies hun leidster, maar ze was een deskundige lerares en ze had ook niet voor niets een aanbevelingsbrief in haar bezit van Lidia Zamenhof, de dochter en opvolgster van Zamenhof zelf. Bella had haar een sonnet in vloeiend Esperanto gestuurd en Lidia had geantwoord dat Bella met de vindingrijkheid waarmee ze in de nieuwe taal rijmende strofen wist te maken opmerkelijk verder kwam dan Zamenhof zelf. Wat het Esperanto betrof was er niets wat Bella niet wist; ze wist bijvoorbeeld dat de Oomoto-religie in Japan het Esperanto als een heilige taal beschouwde en Zamenhof als een god. Zamenhof een god! Simon was in vervoering; Essie dacht dat Bella hem eerder jaloers maakte dan inspireerde. Ze voelde zich ook enigszins schuldig. Al die zonderlinge woorden waar Simon van hield, waar hij bezeten van was, waar hij altijd voor had geleefd en die hij vanwege zijn vrouw en het kind dat net zulk dik zwart haar had als hijzelf had moeten verzaken in ruil voor een leven van overhemden en stropdassen, onderbroeken en sokophouders.

Dus toen Bella haar vroeg om die avond een paar uurtjes op haar zoontje te passen – misschien kon Essie hem zolang bij Retta in bed leggen, dan kwam Bella hem later ophalen – nam Essie het kind met alle plezier in haar armen en streelde het over zijn warme zijdezachte nekje, net zoals ze het met haar Retta deed, die minstens zo'n zijdezacht nekje had, en zong beide baby's in slaap terwijl Simon met Bella door de grazige schemering terugliep om onderwezen te worden op haar stille veranda. Ze had daar een lamp met een stroomdraad die naar binnen leidde en een tafel en een fles citronella om de muggen te verjagen en (waar het allemaal om ging) haar forse verzameling Esperantotijdschriften.

Het duurde langer dan de paar uur die Bella had beloofd (eerder vijf, en de krekels hadden zich teruggetrokken in hun holst-van-de-nacht-stilte) voor zij en Simon terugkwamen. Simon had onder zijn arm een dik pak tijdschriften, van Bella geleend om zijn lege doordeweekse avonden in de stad te vullen, maar Bella was degene die dat uitlegde, niet Simon. Essie was weggedommeld in de oude gevlekte leunstoel naast het grote bed – Simon en Essie's huwelijksbed – waarin ze de baby's had gelegd, samen onder een deken genesteld. Retta's wiegje was te krap voor hen tweeën; ze lagen met hun ronde voorhoofdjes bijna tegen elkaar en ademden als één organisme. Bella keek neer op haar slapende zoon en mompelde dat het zonde was hem mee de koude nacht in te nemen, hij lag er zo knus bij, waarom zou ze hem wakker maken, kon ze hem niet tot de ochtend laten liggen? Ze zou hem vroeg komen ophalen en lag Essie ondertussen niet behaaglijk genoeg waar ze lag, in die comfortabele stoel, en Simon wilde best met een kussen op de vloer slapen, toch, het was nog maar een paar uur...

Bella vertrok en het was alsof ze het erop had aangelegd om Simon die nacht bij Essie vandaan te houden. Maar dat was natuurlijk een waardeloze inbeelding: Simon legde zich op zijn kussen aan haar voeten en stortte zich met al de kracht en honger van zijn wil op Bella's tijdschriften; hij was van plan ze te bestuderen tot hij Bella kon evenaren, hij was van plan de taal na te jagen en te overmeesteren die de redding van de mensheid zou betekenen, heel haar structuur, haar vreemde logica en schoonheid, en vanavond, zei hij, had hij al een goed begin gemaakt – en toen slaakte hij zonder enig teken, te midden van alles, een zachte snurk, een fluwelig trillend geneurie. Essie, nu ongelukkig wakker, probeerde haar gedachten niet te volgen. Maar de nacht duurde lang, er was nog zo veel van over en de kilte van de bergen kroop om haar schouders en afgezien van het stemmetje in haar, een plagerige stem vol verwarrende geheimen, was er niets om naar te luisteren, alleen een van de baby's die zich omdraaide en het aanhoudende gonzen van Simon. Ze bleef luisteren, ze had totaal geen slaap, ze kneep haar oogleden dicht en ze klapten weer wijd open, automatisch, als mechanische poppenogen. Simons gegons – ruwde het op tot gerochel, of iets woesters dan gerochel? Een onnatuurlijk kringelend geluid, als een dier dat wordt gewurgd. Maar het dierlijke geluid kwam niet van Simon, het kwam uit een van de baby's geslingerd, gekreun en toen gejank, goeie God, was het Retta? Nee, nee, niet Retta, het was die van Bella! Ze sprong op om te kijken wat er aan de hand was: het gezicht van het kind was vlekkerig, paars en rood, er druppelde kots uit zijn mond, hij vocht om lucht te krijgen... Ze legde haar hand op zijn voorhoofd. Het voelde woest heet aan, tropisch.

'Simon!'

Ze stompte hem wakker.

'Er is iets mis, je moet als de donder naar het dorp, je moet de dokter halen, Bella's jongen is ziek –'

'Het is midden in de nacht, Essie, in hemelsnaam! Bella komt de kleine straks halen en dan is het misschien alweer over –'

'Simon, ik zeg het je, hij is zíék –'

In die eenvoudige dagen was er in geen van de kochaleins een telefoon en had maar een enkel gezin een auto. Op vrijdagavond kwamen de mannen, Simon ook, vanaf het station de berghelling op met de enige stokoude taxi in het dorp, of anders sjouwden ze hun koffers en boodschappen uit de stad de anderhalve kilometer omhoog naar de vakantiekolonies langs de stoffige keienweg omzoomd met hoog opgeschoten onkruid. Het dorp zelf was niet meer dan een groepje winkels aan weerskanten van het treinstation en wat verspreid liggende oude huizen van de permanente inwoners. Onder wie de dokter, die spreekuur hield in zijn woonkamer.

'Ga!' schreeuwde Essie. Toen dacht ze aan het gevaar voor Retta, zo dicht bij het koortsige kind, en greep haar en smeet haar bijna, nu snikkend en door de opwinding wakker geworden, in haar wieg; maar het dunne nekje onder de samengeklitte vochtige krullen voelde koel aan.

'Dan moet ik eerst bij Bella langsgaan, denk je niet, om haar te laten weten –?'

'Nee, nee, dat is tijdverspilling, dat heeft geen zin, wat kan ze doen? O, hoor hem nou, schiet toch op, het arme ding kan geen lucht krijgen –'

'Hij is van Bella, zij zal wel weten wat ze moet doen,' drong hij aan. 'Het is al eens eerder gebeurd.'

'Hoe kom je daarbij?'

'Dat zei Bella. In het Esperanto, toevallig, toen we vorige week aan het oefenen waren –'

'Ja, dat gebrabbel kan me nou niet schelen, schiet op en ga de dokter halen!'

Gebrabbel. Ze had de universele taal, de redding van de mensheid, gebrabbel genoemd.

Hij ging op weg naar het dorp; dan kwam hij vanzelf langs Bella's huisje. Er brandde geen licht achter haar ramen en hij liep door. Maar een paar meter voorbij haar deur stopte hij en liep terug: het leek zo pervers, zo onredelijk, hij moest het de moeder toch vertellen en het kind zou waarschijnlijk vanzelf opknappen, het was een heel eind lopen, de berg af door het donker en de kou van de nacht op het platteland, Essie had hem zonder zelfs maar een trui het huis uit gestuurd en waarom zou hij die arme dokter wakker maken, een dokter heeft zijn slaap nog harder nodig dan gewone mensen, waarom niet wachten tot het ochtend werd, een fatsoenlijk tijdstip, kwam het er niet eerst op aan dat Bella het moest weten?

En hier zat Essie te wachten, te wachten, met het jongetje op haar schoot gekruld; ze hield hem daar, in de grote leunstoel, bij zich en nam hem nu en dan in haar armen (wat was hij zwaar!) en ijsbeerde van de ene muur van de krappe kamer naar de andere. Geregeld veegde ze zijn voetzolen af met een vochtige doek, tot ze hem lichtjes – bijna tevreden, leek het – voelde huiveren. Maar vaak bleef ze bij het raam staan, met pijnlijke polsen van het gewicht van het kind, en zag de lucht veranderen van een ondoorzichtig zwart vierkant tot een spookachtig bleekroze streep. Retta was allang weer tot rust gekomen, ze lag blozend stil in een glazige slaap, met een knuistje naast elk oor. En uiteindelijk viel de witte glinstering van de ochtend op de vensterbank en verlichtte de muren, en om half negen kwam de dokter, samen met Simon en Bella. Hij had ze beiden uit het dorp meegebracht in zijn Ford. Het kind was nu volkomen veilig, zei hij, hem mankeerde niets wat niet zou overgaan, en was de moeder niet herhaaldelijk gezegd dat ze hem geen melk mocht geven? Haar zoontje was klaarblijkelijk allergisch voor melk, maar ze had er niet om gedacht en toch melk in zijn pudding gedaan.

'U weet dat uw zoon dit soort aanvallen eerder heeft gehad,' zei de dokter knorrig, 'en ze kunnen terugkomen. Omdat u niet lúístert, mevrouwtje.'

En Bella zei verontschuldigend: 'Maar goed dan dat we u niet om drie uur 's nachts uit uw bed zijn komen slepen, zoals sommige mensen zouden hebben gedaan –'

Essie begreep wat ze met 'sommige mensen' bedoelde, maar wie waren 'we'?

'Nu ik er toch ben,' zei de dokter, 'kan ik misschien ook beter even naar de andere kijken.'

'Die heeft niks,' zei Essie. 'Die heeft de rest van de nacht doorgeslapen als een engeltje. Kijk maar, ze slaapt nog –'
De dokter keek. Hij schudde aan Retta. Hij pakte haar twee vuistjes op; ze vielen terug.
'Goeie God,' zei de dokter. 'Dit kind is dood.'

Ze hebben haar begraven aan de rand van een stadje twintig kilometer naar het westen, op een kleine begraafplaats voor alle gezindten beheerd door een onverschillige begrafenisondernemer, die ze een kist ter grootte van een hond verkocht. Er was geen plechtigheid, er was niemand bij, niemand was gevraagd. Een begrafenis in intieme kring, een begrafenis in het geheim. Laat in de middag groef een werkman een holte in de droge aarde en omlaag ging de kist. Simon en Essie stonden alleen aan het graf en keken toe hoe de scheppen aarde neerdaalden tot de grond weer vlak was. Toen gingen ze weg uit de kochalein en huurden voor de rest van de zomer een kamer niet ver van de begraafplaats. Simon ging elke dag aan het graf zitten. In het begin ging Essie met hem mee, maar na een tijdje bleef ze weg. Hoe hij huilde, hoe hij hamerde en jammerde! Ze kon er niet tegen: te laat, dat gesnotter, te laat dat schuldgevoel van hem, zijn berouw, zijn schaamte: had hij de dokter maar eerder gehaald... was hij maar niet naar Bella gegaan... had hij haar maar niet gezegd dat het wel ging met de kleine, geen noodgeval, mijn vrouw overdrijft, de dokter halen kan wel wachten tot de ochtend... had hij maar niet op Bella's deur geklopt, had ze hem maar niet binnengelaten!
Op haar vlakke toon fluisterde Essie: 'Wat met de baby is gebeurd, was misschien niet gebeurd als –'
Ze begreep dat Simon die nacht Bella's minnaar was geworden. Ze keek zwijgend toe hoe hij Bella's tijdschriften naar buiten droeg en in brand stak. De geur van brandend Esperanto bleef nog dagen in zijn kleren hangen.

Ze wist niet wat de dokter had kunnen doen; ze wist alleen dat hij er niet was geweest om het te doen.

Zomer na zomer gingen ze terug naar het stadje bij de begraafplaats, ver van al de kochaleins die in dat gebied langs de rotsige landwegen verstrooid lagen, en vestigden zich op de bovenverdieping van een houtskelethuis die ze huurden van een dove oude weduwnaar. Simon is nooit meer gaan werken in de herenmodezaak, maar Essie bleef aan de slag met haar naaimachine. Ze zette een annonce van twee regels in de plaatselijke krant – 'Naaister – kleding op maat gemaakt' – en kreeg meer bestellingen dan ooit. Simon ging niet meer elke dag bij het graf zitten; in plaats daarvan veranderde hij zijn wake in een verbeten penitentie en wijdde elke week een avond aan de rouw. In hun eerste jaar was het zaterdag: Retta was op een zaterdagnacht gestorven. Het volgende jaar was het dinsdag: Simon had Bella's tijdschriften op een dinsdagavond verbrand. Altijd, welke dag het ook was, welk jaar of welk weer, liep hij midden in de nacht het duister in en bleef daar, tussen de doffe grafstenen, tot de dag aanbrak. Essie zag het nut van dit zelfopgelegde ritueel niet in. Het was verzonnen, het was gewoon een ander soort gebrabbel in de nacht. Ze verachtte het: wat had het voor zin, dat rondlummelen in de dauw en praten tegen de wind? Hij had haar bedrogen met Bella, hij had Retta laten doodgaan. Essie sprak nooit over Retta, alleen Simon sprak over haar. Hij dacht terug aan haar eerste stappen, hij dacht terug aan haar eerste woordjes, hij dacht terug aan hoe ze dit of dat beest in de dierentuin had aangewezen met haar kleine wijsvingertje. 'Tijger,' zei ze dan. 'Aap,' zei ze. En als ze bij de gnoe met de gele hoorns kwamen en Simon zei 'Gnoe', dacht Retta dat hij een koe bedoelde en blies een langgerekt 'Boe' uit. Wat hadden Simon en Essie daarom moeten lachen! Retta was dood, het was Simons schuld; hij had haar bedrogen met

Bella, en wat maakte het voor verschil dat hij Bella nu verfoeide, dat hij een kampvuur van haar tijdschriften had gemaakt, dat hij alles verfoeide wat naar Bella riekte, dat hij het Esperanto verfoeide, het veroordeelde en het misleiding en oplichterij noemde – wat maakte het allemaal uit als Retta dood was?

Het was niet hun eerste zomer, maar de volgende, toen Simon de dinsdag had bestemd tot de dag dat hij zijn heiligdom bezocht ('Zijn heiligdom,' zei Essie bitter in zichzelf), dat Simon brieven begon te schrijven aan Esperantoclubs in de hele stad, in de hele wereld – akelige brieven, furieuze brieven. 'Zamenhof, jullie valse idool! Jullie afgod!' schreef hij. 'Waarom ga je niet bij de Oomoto, stelletje gekken!'

Dit was de aanvang van Simons grootse plan, de brieven, de kreten, de koortsachtige stapels filologische artikelen en boeken met rare uitheemse alfabetten op hun omslag. Toch was het plan in de praktijk helemaal niet zo groots, het was uitermate eenvoudig uit te voeren. Niemand doet navraag naar iemand die in het donker leeft. Als je buurman zegt dat hij in Pittsburgh is geboren terwijl hij in feite uit Kalamazoo komt, wie neemt er dan de moeite zijn geboorteakte op te sporen? En wat bezorgde of bemoeizuchtige familieleden betreft: Essie had al sinds haar jeugd geen moeder meer en haar vader was een jaar na haar eigen huwelijk met Simon hertrouwd. Hij dreef met zijn nieuwe vrouw een ijzerwarenwinkel in Florida en Essie en hij schreven elkaar zelden. Simon zelf was grootgebracht in het Tehuis voor Joodse Weeskinderen; zijn enige levende verwante was zijn nicht Ruby – goedgelovige Ruby, rondborstige Ruby! Zij tweeën, Simon en Essie, hadden zo weinig wortels als paardenbloemsporen. Ze hoefden aan niemand rekenschap af te leggen en hoewel Simon werkloos bleef, was er geld genoeg zolang Essie's

trapper snorde. Ze hield hem aan het snorren: haar zomer-
bedrijfje breidde zich uit naar een half dozijn stadjes in de
buurt en haar aankomst in mei werd in de regel begroet met
een sneeuwstorm aan bestellingen voor de aanstaande herfst.
Ze had de tekst van haar advertentie veranderd in 'Zorg in de
Zomer voor een Warme Winter' en hield de nieuwe mode in
wollen jacks en jassen in de gaten. Ze kocht afgeschreven
stukken chinchilla met korting en leerde bontkragen en voe-
ringen naaien. En ondertussen zat Simon GNOE uit te broeden. Die naam was een eerbetoon aan Retta in de dierentuin,
zei hij, en in het Engels klonk het als 'nieuw' – wacht maar
hoe het het Esperanto zou overvleugelen en overtreffen, dat
valse oude kadaver!

Elk jaar verhuisden ze in de herfst terug naar de Bronx.
Essie bezat inmiddels twee naaimachines. 'Mijn winterSinger
en mijn zomerSinger' zei ze vaak, en in de winter snorde haar
Singer even onvermoeibaar als in de zomer, terwijl Simon
eropuit ging om bekeerlingen te werven. Hij liet affiches op
geel papier drukken, met lange lijsten geldschieters – geen
namen, alleen de gouden adressen aan Park Avenue – en hing
die aan telefoonpalen.

Essie verbaasde zich niet over het eerste publiek dat het
GNOE wist te trekken, want al die bewoners van de kochaleins kwamen voor de winter naar huis: de trotskisten, de
Henry George-mensen, de tolstojanen, de klassieke-muziek-
liefhebbers die de gratis concerten in het Lewisohn Stadium
bezochten, de trouwe aanhangers van Norman Thomas, de
leden van de Jiddische Bund, de wildere hebraïsten, de opkomende mystici die Thomas Merton lazen, de ontluikende
jonge Taoïsten en Zenboeddhisten, de bejaarde humanisten
en atheïsten, de Ayn Rand-adepten... en het gevaarlijkst van
allemaal: de boze Esperantisten. Maar na de eerste paar bijeenkomsten bleven te veel van Simons aspirant-bekeerlingen

weg, te beginnen met degenen die alleen nieuwsgierig waren, de rest uit verveling, of omdat ze geen contributie wilden betalen, of omdat de gehuurde zaal niet verwarmd was (de gierigheid van die donoren van Park Avenue!), of omdat Simon met zijn introverte incantaties te bleek afstak tegen het vertrouwde messianisme waarmee ze uit de bergen waren teruggekomen.

'Wat deze mensen nodig hebben om hun interesse op peil te houden,' stelde Simon, 'is vermaak. Als ze theater willen, Essie, dan geven we ze toch theater, wat jij?'

Dus werd Essie ingezet als zangeres. Ze had er niet direct mee ingestemd; het idee boezemde haar weerzin in, maar alleen totdat ze inzag hoe voordelig de oplossing was, en hoe listig. Ze was al medeplichtig aan Simons plan – geef de duivel een pink en hij pakt je hele arm. En die pink alleen was al niet zo zuinig geweest, want wat Simons affiches ook verkondigden, de gehuurde zaal was betaald met Essie's vlijtige werk aan haar twee naaimachines. Goed dan, vooruit, dan zou ze zingen! Ze bleek bovendien iets van een rijmpje te kunnen maken. Haar rijmpjes waren onschuldige wijsjes, geheime spotternijen – de laatste in een reeks, want de filantropen van Park Avenue kwamen ook uit haar koker. Wat haar zangstem betrof: ze had geen bereik en raakte aan het eind van een lange strofe bijna buiten adem, maar ze stortte er al de furie en felheid van haar spot in uit, en haar spot klonk als overtuiging. Ze stelde zichzelf in dienst van Simons brabbeltaal, en waarom niet, waarom niet? Retta was dood, het was Simons schuld! Haar optredens in de koude zaal, haar kostuums, de praatjes, de wijsjes, waren haar eigen uitvinding, haar geheime spot, haar vergelding voor wat er met de baby was gebeurd.

En nog liepen Simons bijeenkomsten alsmaar leger tot alleen de twistzieke oudgedienden overbleven, en Simons vijanden de Esperantisten.

'Jaloezie!' zei hij. 'Omdat ik ze overtroefd heb, ik heb ze afgemaakt. En ze worden door Bella gestuurd, het moet Bella wel zijn, wie anders?'

Maar het was Essie. Ze wist waar ze zaten, ze wist ze te vinden: ze had Simon geholpen met al die brieven waarin hij ze voor gek uitmaakte, ze had hun namen op de enveloppen geschreven. Listig, clandestien, had ze ze opgeroepen en ze kwamen met alle plezier en gingen met alle plezier op de stoelen staan stampen en scanderen en gillen en met hun vuisten zwaaien en dreigen. Simon, dat roofgespuis, met zijn sjofele huisvlijtversie van het echte werk, had gezegd dat ze gek waren! Ze overstemden hem met plezier en sommigen waren zelfs met alle plezier met hem op de vuist gegaan ter verdediging van de enige echte universele taal, die van Zamenhof! Essie gaf zelf het sein: als ze klaar was met die onzincoupletten, als ze van het podiumpje sprong, begon de aanval.

Ze liet het doorgaan, winter na winter, met de zomerse expedities om naar uit te kijken. Ze kocht zich in een tweedehandsboekenwinkel een wereldatlas en onderwees Simon in de hoogte- en lengtebreedten, al die verafgelegen wadi's en gletsjers en canyons en jungles en steppes die hij van mei tot september had zullen verkennen (met haar op elke reis aan zijn zij, hoe groot ook het gevaar), allemaal om onbekende lettergrepen op te sporen om zijn GNOE vet te mesten, en ondertussen zaten ze hier met hun tweeën van mei tot september hun avondmaal van bananen en zure room op te lepelen aan de keukentafel die voor de helft werd ingenomen door Essie's trouwe Singer, op de bovenverdieping van het gestaag in verval rakende huis van de oude weduwnaar.

Ze liet ze doorgaan, de bijeenkomsten in de stad, winter na winter, en de zomers verborgen in hun bergstadje dicht bij Retta's graf. Ze liet ze doorgaan tot het genoeg was, tot

haar hoon was gestild, tot de krijgslustige Esperantisten hem
voldoende hadden gekwetst om haar te bevredigen. Het was
meer dan de wrok, het bijna lijfelijke genieten van de wrok,
het wellustige leedvermaak Simon met zijn eigen stok te straf-
fen. Het was die toverstok zelf, Essie's bedrieglijke machi-
nerie, de grap van die exotische expedities die ze in de ogen
van de wereld – die argeloze, goedgelovige wereld! – onder-
namen naar... waar? Waar ook maar Dravido-Munda, Bugi-
nees, Wepsisch, Brahui, Khowar, Oriya, Ilokano, Mordvi-
niaans, Shilha, Jagatai, Tipoera, Yurak en al die hordes andere talen werden gesproken. Van mei tot september leverde
Essie's atlas de route langs deze listig veraf gekozen locaties
en op donderdag, of zondag, of welke dag van de week hij
ook koos, jammerde Simon zijn gebrabbel uit in de nevelige
nachtlucht aan Retta's graf.

Het duurde niet lang voordat Annette en haar clubje genoeg
hadden van GNOE. Ze pakten hun boeltje, zo hoorde ik later, op een van die donderdagen dat Simon weg was, zodat
gedag zeggen hun werd bespaard. Toen ik hem weer ging
opzoeken was hij alleen. Deze keer, en alle keren die volgden, was ik niet aangespoord door mijn moeder. Zij was met
haar zaken bezig en vertrouwde erop dat Simon nog altijd
bloeide, zoals ze het zei, en ik hielp haar niet uit de droom.
Zij bloeide ook als een dolle, meldde ze; kachina's importeren werd te duur dus ze was ze zelf gaan produceren. Ze had
er een perceel bij gekocht waar een fabriekje op volle toeren
draaide en niet alleen replica's van de poppen maakte maar
allerlei zogenaamd lokale kunstnijverheid, sjaals die geen
indiaan ooit had gedragen en mocassins waarop geen indiaan ooit zou lopen. Veel daarvan had ze zelf ontworpen ('Ik
heb daar echt wel een handje van,' herinnerde ze me) en om
de waarheid te zeggen zagen ze er beter uit dan het ruwe in-

heemse spul. Mijn vader schreef vaak en vroeg wanneer ik eens op bezoek kwam, want in mijn moeders optiek was een reis naar New York uitgesloten: ze hadden hun handen vol, de zaak eiste ze helemaal op. Ik antwoordde met de gebruikelijke eerstejaarsklachten: te veel papers die ik nog moest inleveren, die zouden me de kerstvakantie kosten, en ook later in het jaar zat er geen vakantie in, want ik zou de hele zomer door cursussen hebben.

Liegen ging me steeds beter af. Ik liep niet achter met mijn papers. Ik had niet zo'n behoefte om mijn moeders trots op de vervalsingen die ze produceerde van nabij mee te maken.

De cheques die ze bleef sturen (met mijn vaders handtekening boven het gedrukte 'Accountant') werden alsmaar groter. Ik verzilverde ze en gaf het geld aan Simon. Hij nam het treurig, willoos, zonder protest aan. Hij schoor zich niet en droeg sandalen aan zijn blote voeten. Zijn teennagels krulden over zijn tenen, zo dik als oesterschelpen. Hij stonk uit zijn mond; hij had een abces aan een kies dat hem soms kwelde en soms met rust liet. Ik smeekte hem om naar de tandarts te gaan. Beetje bij beetje was ik voor hem gaan zorgen. Ik gaf de jongen van de groenteboer een fooi en betaalde de conciërge om de toiletpot uit te borstelen. Hij had zijn vruchteloze uren tussen de vreemde lexicons opgegeven, maar elke donderdag zette hij zijn versleten gleufhoed met het vaal geworden lint op, deed de deur van zijn flat op slot en kwam pas laat de volgende middag terug. Ik stelde me hem voor in een rammelende trein de stad uit, naar een vergeten plaats in de Catskills; ik stelde me voor hoe hij in het donker in het vochtige gras knielde naast een kleine grafsteen. Ik ging zover te gissen naar wat de donderdag het herdenken waard maakte voor zo'n dwalende geest als die van Simon: stel dat Essie hem op een donderdag had bekend dat ze twijfelde over het vaderschap van de baby; stel dat Simon op een donderdag voor het eerst had gehoord van de krullenbol uit Cincinnati, dan was de schuldig treurende rouwklager aan het graf misschien niet eens de vader, maar enkel de goedgelovige sukkel die Essie lang geleden het huwelijk in had gesmoesd. Als hij niet wist wie hij was, de vader of de sukkel, waarom zou hij dan niet half gek zijn?

En als alles wat Essie me had toevertrouwd niet meer was dan een fabeltje, als ik er zelf in was gevlogen (als die vliegen in haar suikerpot), was ik dan geen deelgenoot aan Simons dwalingen?

Mijn tweede studiejaar begon. Op een ochtend zag ik onderweg naar college Annette aan de overkant van de straat met twee jonge mannen. De mannen waren gekleed in grijs kantoorkostuum met gestreepte stropdas en conventioneel kort geknipt. Ze droegen alle drie een leren attachékoffertje. Annette zelf zag er minder theatraal uit dan ik me haar herinnerde, maar ik wist niet waarom. Ze droeg een zijden sjaal en praktische schoenen met scherpe kleine hakjes.

'Hé, Phyl,' riep ze. 'Hoe is het met je oom tegenwoordig?'

Onwillig stak ik de straat over.

'Tim, John, mijn oude flatgenoot,' stelde ze me voor. Van dichtbij merkte ik op dat ze geen lippenstift droeg. 'Gaat het goed met Simon? Ik moet je zeggen, hij heeft mijn leven veranderd.'

'Jij hebt het zijne verwoest.'

'Nou ja, je had gelijk, misschien heb ik hem te serieus genomen. Maar ik heb er toch iets van opgestoken. Ik studeer nu bedrijfskunde. Ik ben overgeschakeld op accountancy, financiën is mijn hoofdvak.'

'Net als Katharine Cornell.'

'Nee, echt waar, ik heb een ondernemersgeest. Daar kwam ik achter toen ik die bijeenkomsten voor Simon regelde.'

'Zal best, al die groene sla,' zei ik en liep weg.

Eerlijk gezegd vond ik niet echt dat Annette Simons leven had verwoest. Toen ze hem verliet bleef hij weliswaar met lege handen achter, maar er knaagde van binnen een soort aftakeling aan hem waarvan ik de bron niet kende. Misschien was het de leeftijd: hij was een ziekelijke oude man aan het worden. Het abces aan zijn kies dat hij zo lang had verwaarloosd was slecht voor zijn hart. Hij leed aan herhaaldelijke aanvallen van angina en bij wijze van remedie slikte hij handenvol nitroglycerinepillen. Hij vroeg me dringend vaker op bezoek te komen en ging donderdags niet meer weg. Ik was die trips toch al gaan wantrouwen: zou hij na zoveel tientallen jaren werkelijk nog op stap gaan om met zijn magere billen op de vochtige grond van een begraafplaats te gaan zitten, laat staan in de winterse sneeuw? Was er in feite misschien een minnares voor eens per week geweest? Een van die meissies die hij belazerde? Of Bella, in het geheim in ere hersteld? Een minnares had hij in elk geval niet meer. Als hij zijn hand naar me uitstak was het niet mijn borst die hij zocht. Hij zocht troost, hij zocht warmte. De oudemannenhand die de mijne pakte was bloedeloos koud.

Ik bracht vervelende middagen met hem door. Ik nam petitfours voor hem mee en blikken speciale thee. Terwijl hij boven zijn thee indommelde, haalde ik de bladeren uit hun vergulde trommel en vulde die met briefjes van honderd dollar: het slijk en schuim van mijn moeders frauduleuze voorspoed. Ik probeerde hem wakker te roepen: ik vroeg waarom hij was gestopt met zijn werk aan GNOE.

'Ik ben er niet mee gestopt.'

'Ik zie het u niet doen.'

'Ik denk erover na. Het zit in mijn hoofd. Maar de laatste tijd... ach, wat schiet je er ook mee op, je krijgt die Esperantisten er niet onder. Die flessentrekker van een Zamenhof had het lang geleden al voor elkaar, die heeft de hele markt in handen.' Hij knipperde herhaaldelijk met zijn ogen; hij had een irritante tic gekregen. 'Redt Ruby zich een beetje, daarginds? Ik weet nog dat ze er absoluut niet heen wilde. Jouw moeder, weet je,' zei hij, 'was altijd standvastig. De enige standvastige was mijn nicht Ruby.'

Een paar weken na dit gesprek ging ik Essie opzoeken; het zou voor het laatst zijn.

'Simon is dood,' liet ik haar weten.

'Simon? Krijg nou wat.' Ze aanhoorde het met een van haar hese zuchtjes en ontstak vervolgens direct in razernij. 'Wie heeft de boel geregeld? Wie! Jij? Als ie dáár begraven is, bij Retta, laat ik hem opgraven en eruit smijten, dat zweer ik je!'

'Het is al goed, mijn moeder heeft het geregeld. Telefonisch, interlokaal, vanuit Arizona. Hij ligt in Staten Island, mijn ouders hebben er een paar plekken.'

'Ruby heeft het geregeld? Nou, dat scheelt, zíj weet niet waar Retta ligt. Zij dacht dat het in Timboektoe was, wat er met de baby is gebeurd. Ik heb het je al zo vaak gezegd: die dwaze moeder van jou heeft er nooit iets van begrepen –'

Het rook in haar huis nog altijd even muf. Ik had gedaan waarvoor ik was gekomen en wilde weer weg. Maar ik zag dat, hoewel de paspop nog op haar plaats tegen de muur stond, de naaimachine was verdwenen.

'Heb ik weggedaan, verkocht,' zei ze. 'Ik heb gespaard, ik heb genoeg. Ik ben nog nooit geld tekort gekomen, wat er ook gebeurde. Zelfs na de scheiding niet. Toen kwamen ze wel, alsof ze me kwamen condoleren. Ik denk niet dat er nog iemand komt.'

Ik zei tam: 'Ik ben er.'

'Ruby's dochter, wat kan mij dat schelen? Die Esperantomensen bedoel ik, díe kwamen. Omdat ze zagen dat ik tegen Simon was. Sommigen brachten bloemen mee, wil je dat geloven?'

'Als u tegen hem was,' zei ik, 'waarom deed u dan overal aan mee?'

'Dat heb ik je al gezegd. Om wraak te nemen.'

'Een rare manier van wraak nemen, als u precies deed wat hij wilde.'

'Mijn God, de appel valt niet ver van de boom, net als je moeder, zo blind als een mol. Je denkt toch zeker niet dat ik iemand zou laten weten dat mijn eigen man het heeft gepresteerd in mijn eigen bed mijn eigen kind te laten creperen?'

Ze was één en al zigzag en tegenspraak: ze had wraak genomen op Simon en ze had hem in bescherming genomen. Ze was zwaard en schild tegelijk. Was dat wat je kreeg als je improvisatietalent had? Nu was ik er zeker van dat je geen woord dat Essie sprak kon vertrouwen.

Ze had weinig meer te zeggen over Simon en hoefde weinig meer te horen. Maar voor ik vertrok duwde ze haar getaande gezicht, zo gerimpeld als een walnoot, tegen het mijne en vertelde me iets dat ik nooit ben vergeten.

'Luister,' zei ze, 'die verdomde universele taal, wil je weten wat dat is? Niks Esperanto en dat gebrabbel van Simon ook niet. Ik zal het je zeggen, maar alleen als je het weten wil.'

Ik zei dat ik dat wilde.

'Iedereen spreekt het,' zei ze. 'Iedereen, in de hele wereld.'

En was dat het echt, wat Essie me toen op haar bezeten kwikzilveren fluistertoon verklapte? Leugens, inbeelding, bedrog, zei ze – was dat het werkelijk, de universele taal die we allemaal spreken?

Van dezelfde auteur verscheen
bij uitgeverij Houtekiet

Erfgenamen van een glinsterende wereld
ISBN 978 90 5240 894 1

Van dezelfde auteur verscheen
bij uitgeverij Houtekiet/Atlas

De sjaal
ISBN 978 90 8918 004 9